フォークアート新生！

芸術の〈原点〉から〈先端〉へ

笹井祐子／藤原成一

SASAI Yuko
FUJIWARA Shigekazu

青弓社

フォークアート新生!——芸術の〈原点〉から〈先端〉へ

目次

第2部 フォークアートの実践フィールドへ

装画――カバー表：正木雄悟「頭を使って描く」／カバー裏：笹井祐子「赤い仮面」
装丁――ナカグログラフ［黒瀬章夫］

はじめに――アート表現の〈原点〉から

いま現在、アート界は活発に見えます。どんな発想も趣向も技術もアートとして許されるご時世です。侵略や弾圧など正義のない戦争・紛争が国際世界を揺るがし、パンデミックが世界を覆う不安定な時代にあって、アート界の活況は異常とも見えます。理不尽な現状を見つめ問いかける誠実な表現者もときにいますが、アート世界は、特に日本のアート界は、現実世界を取り巻く緊張した空気とは異質です。

自分のアートを制作しようと志しているみなさんには、アート界はどう見えているのでしょうか。アート界は自分の表現を懸けて飛び込んでいけるフィールドか、創造的な表現が問われ期待されているところか、アートに開拓すべき近未来はあるのか、いま追求し表現すべきことは何か、価値観の混迷の時代に美などはテーマたりうるのか、次々と問題は浮上してくるでしょう。活発に表現するアーティストたちも、それらの問いに答えているつもりかもしれません。作者が依拠する「個性」とか独自性がどの表現にも託されていて、自分へのこだわりは強烈です。しかし自作自演の表現には公共性も社会性も乏しく、訴求力も問いかけも微力で、自閉的で自衛的な自己満足の作品に見えてしまいます。アート界は活況に見えて閉塞状況にあり、表現者は自分頼みの個性依存を通常態としています。個性というパーソナルなものに表現者はずっと頼ってきましたが、個性尊重は時代遅れです。

自分を超え、個性主義を排し、もっと大きな個性へと逸脱をはかる試みにも切実さはなく、マスメディアに同調し、情報社会の好みや流行に迎合する通俗性、ちっぽけな差異を個性と誇示する凡庸性、時代や社会とともに液状化していく非主体性、世俗的評判にすがる俗物性ばかりが目立ち、しかもそれらがすべてライト化しているのが現状です。アートのこの劣化状況からどう脱却するか、沈滞をどう破壊するか、アートが情報化メディアの体制下にあるかぎり打開はむずかしく、現体制からの離脱を決行し、反時代的模索、非現代的冒険に懸けるしかないのかもしれません。個性主義を捨て既成のアート観を洗い流して、自分を、アートを、社会を、現実を、先入観なしのうぶな目で見直すことも一手です。先人たちの試作の再掘も参考になるかもしれません。

古い一例。青春期、柳宗悦は時代を先行する文学・文化誌「白樺」に参加し、自身に課した問題を展開しました。課題は二つ。一つは「生きるとはどういうことか」で、「なぜ」「いかに」生きるかを倫理や宗教面から追求、もう一つは「美とは何か」「生にとってなぜ美は必要か」「どういう表現を美とするか」という一連の問いで、哲学・美学と実践面からの考究です。時代は近代日本の青春期、夏目漱石が文明開化政策を批判しつづけた時期で、漱石の場合、個の生と社会体制との関わりが課題でした。柳は生のあり方を美と関連づけ、美を生のなかに位置づけるのが課題です。現代の軽薄な風潮に汚染された者には未熟な姿勢・テーマに見えますが、柳には生涯の課題でした。取り組みから見えてきたのは、生でも美でも、個性からの脱出、自己へのとらわれからの解放が大切だ、ということでした。自己主張は正しい表現でない、ということでした。個人を超え個人を培うもの、フォーク力の発見です。

個性の誤用・乱用がアートも表現もゆがめて病的にしている、汚染された個性からの制作ではなく、個を超えた連帯知、個の狭い主観を超えた雑多な人々の集合、共同体の主観、共同主観からの表現が、これからの表現、特に生と美が織りなすアート表現である、という柳のフォーク哲学の提唱を通して、フォークアートが時代の前衛制作として迎えられました。時代の空気を吸収した温厚なアヴァンギャルド運動、民芸の発掘と創作、そして用の美の宣言になりました。パーソナルな能力よりも、より確かな能力、それがソーシャル化された集合協働知に基づくフォーク力です。人間もアートも共同体社会内存在として真に意味をもち力を発揮する、という新しいアート観の創造でした。

アートはどこに向かうのか、アートは何を表現するものか。自分に縛られず、慣れ合いの仲間から離脱し、共同体社会内存在としての自分、ソーシャル・パーソナルに徹するとき、集合意識、共同主観の自覚から超個性・超主観というスタンスが身についていきます。柳の場合は、文明開化に踊らされない手仕事で結び付いた共同体がそれをすでに体現していて、その発掘による創造空間と新アートの提唱でした。いまもその方法と思想の再生・新生が可能ではないか、フォーク力の現代化と、それによる語りとアートの新生・創造への期待です。上から管理・操作される個性と違い、みんなが平等に寄り集まり個々の個性を発揮し合って協働するのがフォーク力です。フォークソング、フォークダンスがソングとダンスの原点でありつづけるように、フォークロアはその時代・社会が願う伝承を生み、語り、地域や参加者を力づけ、フォークアートを新生していきます。この自明の営みが生むものは、プリミティブなもの、アール・ブリュット的表現、集合知による超個性美など、個性の過信によって忘れられていた自明の美です。それらが発現を待っているのです。

表現は大胆で新鮮、革新性が基本です。それらは擬似人工空間でなく日常的生活世界、フォーク社会のなかに胚胎してくるものです。人為操作が常態化した擬似生活景を離れ、柳同様、自然体で営むフォーク的景から、あるいは先駆的冒険や試行から、現代が求めるアヴァンギャルドが出現してくるでしょう。アート革新の新しい方向づけは、既成物との対話とその乗り越え、自分や社会との対話と、それによる関係の革新にあります。現代の生そのものへの問いと呼びかけです。さあ、パーソナルを巻き込んだソーシャル性をもって、生と美を対話させながら、それらを変革していこうではありませんか。パーソナルアートとして自立しながら、開かれたソーシャルアートへと展開していきましょう。現状の自覚から表現の冒険へ、実験へ、です。

笹井祐子／藤原成一

二〇二四年二月

第1部 フォークアートの思索・実践への誘い

一九七〇年の大阪万博終了後、お祭り広場の太陽の塔だけが、各国や企業の威信をかけたパビリオンがすべて撤去されたのち、ただ一つ残されました。いまも記念碑、大阪のシンボルとして時空間を演出しています。道頓堀の新世界に立つ通天閣と、岡本太郎の創作物、片や住民協働による造立という違いはあっても、それを超えて、通じ合うものがあるからです。金運招福のビリケンさまに親しむ庶民の願いと、過去・現在・未来へと願う生命の輝き、両者は立場を超えて響き合っています。通天閣は雑多なカオスの新世界で、国民や市民、民衆や大衆などという上からの言葉でくくられない人々、普通の生活景をつくる庶民たち、フォークがつくり育ててきました。太陽の塔も「進歩」とか「調和」という上からのスローガンを対極に置きながら、雑多な人々がそれぞれ多様な願いを込めて見守るうちに、地域の連帯と集合のフォーク知が育ち、現在のフォークロアが語られ始め、ビリケンさまへの願いと通じる生のフォークアートへと成長します。前衛アートが個性を嘲笑するフォークアートとなり、新しいアヴァンギャルドの指標となったのです。プリミティブ景から歴史景・生活景までが蓄積された生の実験フィールドです。アートは生の表現である、こんな当たり前の思想と方法が新生フォークロア、フォークアートの目標です。その先駆的思索と実践にふれてみましょう。

第1章
フォークロアの創出、新文化学の構築
――柳田國男のフォーク観

フォークロア開眼――『遠野物語』

伝説、すなわち、地域の語り継いできた伝承譚とは、どんな味わいのあるものか、感じ取ってもらいましょう。長い引用ですが、数例を読んでみます（柳田國男『遠野物語 山の人生』〔岩波文庫〕、岩波書店、一九七六年。なお、読点やルビなど表記を少し改めたことをお断りします）。

上郷村の民家の娘、栗を拾いに山に入りたるまま帰り来たらず。家の者は死したるならんと思い、女のしたる枕を形代《かたしろ》として葬式を執行い、さて二、三年を過ぎたり。しかるにその村の者猟りをして五葉山の腰のあたりに入りしに、大なる岩の蔽いかかりて岩窟のようになれるところにて、図らずもこの女に逢いたり。互いに打ち驚き、いかにしてかかる山にはおるかと問えば、女の曰く、山に入りて恐ろしき人にさらわれ、こんなところに来たるなり。遁げて帰らんと思えどいささかの隙もなしとのことなり。その人はいかなる人かと問うに、自分には並の人間と見ゆれど、ただ丈《たけ》きわめて高く眼の色少し凄しと思わる。子供も生みたれど、我に似ざれば我子にはあらずといいて食うにや殺すにや、みないずれへか持ち去りてしまうなりという。まことに我々と同じ人間かと押し返して問えば、衣類なども世の常なれど、ただ眼の色少しちがえり。一市間《ひといちあい》に一度か二度、同じようなる人四、五人集まりきて、何事か話をなし、やがてどちらへか出て行くなり。食物など外より持ち来たるを見れば町へも出ることならん。かく言ううちにも今にそこへ帰って来るかも知れずという故、猟師も怖ろしくなりて帰りたりといえり。二十年ばかりも以前のことかと思わる。

旧家にはザシキワラシという神の住みたもう家少なからず。この神は多くは十二、三ばかりの童児なり。おりおり人に姿を見することあり。土淵村大字飯豊《いいで》の今淵勘十郎という人の家にては、近きころ高等女学校にいる娘の休暇にて帰りてありしが、或る日廊下にてはたとザシキワラシに行き逢い大いに驚きしことあり。これは正しく男の児なりき。同じ村山口なる佐々木氏にては、母人ひとり縫物しておりしに、次の間にて紙のがさがさという音あり。この室は家の主人の部屋にて、その時は東京に行き不在の折なれば、怪しと思いて板戸を開き見るに何の影もなし。しばらくのあいだ坐りて居ればやがてまたしきりに鼻を鳴らす音あり。さては座敷ワラシなりけりと思えり。この家にも座敷ワラシ住めりということ、久しき以前よりの沙汰なりき。この神の宿りたもう家は富貴自在なりということなり。

佐々木氏の曾祖母年寄りて死去せし時、棺に取り納め、親族の者集まりきてその夜は一同座敷にて寝たり。死者の娘にて乱心のため離縁せられたる婦人もまたその中にありき。喪の間は火の気を絶やすことを忌むがところの風なれば、祖母と母との二人のみは、大なる囲炉裡の両側に坐り、母人は傍らに炭籠を置き、おりおり炭を継ぎてありしに、ふと裏口の方より足音してくる者あるを見れば、亡くなりし老女なり。平生腰かがみて衣物の裾の引きずるを、三角に取り上げて前に縫いつけてありしが、まざまざとその通りにて、縞目にも見覚えあり。あなやと思う間もなく、二人の女の坐れる炉の脇を通り行くとて、裾にて炭取りにさわり

奥奥州を見守りフォークロアを語りかける聖山、早池峰連峰（早池峰神社参道から、撮影：藤原成一）

しに、丸き炭取りなればくるくるとまわりたり。母人は気丈の人なれば振り返りあとを見送りたれば、親縁の人々の打ち臥したる座敷の方へ近寄り行くと思うほどに、かの狂女のけたたましき声にて、おばあさんが来たと呼びたり。その余の人々はこの声に睡を覚し、ただ打ち驚くばかりなりといえり。

これらを読んで古風な語り口に面食らったことでしょう。このような民間に伝承され伝説になりつつある話が、岩手県遠野村では明治時代の終わりごろなお語られていました。それを柳田國男が遠野の人・佐々木喜善から聞き出し、平安時代末期に都の人が収録した『今昔物語集』のように文章化したのが、日本民俗学＝フォークロアの出発となり基礎となる記念碑『遠野物語』です。『遠野物語』には引用したような話、遠野の風土のなかに生成され土地の人々に語り継がれ育てられた多様多種の伝説や実録、怪異譚など百十八話が収録されています。ほかに獅子踊りの歌詞も多く収録されています。話題は家の神、里の神、山の神、天狗、山男、山女、神隠し、物の怪、雪女、河童など、住民が身辺に見聞きし、実体験もした事柄・事象などで、遠野の暮らしから霊魂の世界や山の怪異に至るまで、聞く者に遠野そのものを実感させてくれます。まさに風土の発見、地域に生きる人々の発掘、土地に営まれる民俗の新生でした。

柳田は一九一〇年、『遠野物語』の刊行に際し、その本の献辞に「この書を外国に在る人々に呈す」と記しました。さらに、序文には、この本の背後にある無数の山神・山人の伝説を思い、「願わくば、これを語りて平地人を戦慄せしめよ」と挑発し、「かかる話を聞きかかるところを見てきてのち、これを人に語りたがらざる者はたしてありや。（略）要するにこの書は現在の事実なり」と強調し、『今昔物語集』がすでに昔となった話が多いのに対し、「これ目前の出来事なり」と念を押します。文明開化策の先兵として外国にある人に呼びかけ、開化政策の犠牲になって埋もれ抹消されていくマイノリティーに目を向けよ、と為政者や識者に訴えかける激しい序文です。自著の社会的・学術的意義を闡明《せんめい》にし、自らに課題を与えた宣言文ともなっています。

柳田國男の近代日本へのスタンス

本書は美術について、フォークアートへとテーマを進める予定です。しかし、その前に日本の近代化を考え文明開化政策や欧化風潮を現場、しかも先端と渦中で見つめ続けてきた先覚者の思いを知り体得しておくことは、精神と身体のスタンスを考えるとき、不可欠の作業です。また、それを自らの学びと制作のベースとすることは、自らと他への誠実さの証しでもあります。明治維新期や現代にみるように体制が間違った方向に進んでいるとき、時代状況にどう向き合うか、どういうスタンスで自分を向き合わせるかはその人の本質と作品に深く関わることです。柳田は自分の公的立場を超えて、社会や学問、さらに歴史や時代から黙殺されていく人々への正義感から、自分の学問の出発を宣言したのです。特に弱者へのこの誠実さ、土地の共同体で暮らす人々への正義感は、柳田の生涯を貫く基本姿勢になりました。

日本近代史のなかで最も創造的な知識人、文学者、批評家、啓蒙家、教育者であり、多分野の開拓、新しい学問や専攻の創造など、最もオリジナリティーある指導者として、柳田は近代史上、群を抜く存在です。その柳田の出発が、『遠野物語』の前年、一九〇九年の『後狩詞記』（私家版）です。南九州の山中深く、外の世界との交渉も乏しく狩りで生きる山人たちの集落に入り込んで、通じない言葉を聞き取り意味をただしながら書き留めた山人の語彙研究です。平地の里の民とは生き方も考え方も、言葉も風俗もまったく異にする人々である山人と接したとき、若き秀才官僚の柳田は全身を打ちのめされました。こんな人たちが開化という西洋の模倣に狂奔する近代日本に確かに実在しているのだ、という驚きと同時に、こういう隠された人々を封じ込め消し去ろうとする日本の近代化政策の動きにはからずも自分も加担していることに気づかされ、自分への激しい痛憤も覚えたにちがいありません。山に追いやられた山人の存在に導かれ、中央官僚として不遜にも政策に協調してきたことに柳田は根本から自分のあり方を見直します。その良心的ショックが軽挙妄動する平地人である指導者や欧米文化の取り込みに忙しい知識層に向けての挑発になったのです。柳田はそれ以降、国の高級官僚という身分・立場にあって、そのやましさを癒すように「山の民」など、マイノリティーの調査・研究に没頭し、その生態・歴史を解明していくことを自らに課したのです。

追いやられた人々への関心は、同時に、開化策から見放された地方へ周縁へ辟地へと展開します。地域の風土や文化、伝承や風俗などを知ることが、外国仕込みの新文明づくりよりも、日本の文化や伝統、日本人の考え方や生き方、日本の現在と未来を考えるうえで大切であるという認識のもと、柳田は日本の基層文化、地域風土の風俗や慣行を再掘し、正しく文化史的に地理的に位置づけようと、『遠野物語』を出発に新しい学を求めて構想していきます。フォークロア、民俗学の構築が柳田の生涯の仕事になりました。

フォークロアとは民間に伝承されてきた話、伝説や民話という民衆に最も身近な表現、語りものです。さらに広義には生活世界の日常の営みや風習なども含みます。ヨーロッパで政府の仕事に携わるかたわら、柳田は国々の生活世界の特性などにも注意を向けていました。人々、特に普通の人たち、民衆の考え方や暮らしを教えてくれるのが各国各地に大切に伝承されているフォークロアでした。フランスのペローの民話、ドイツのグリム兄弟が集めたグリム童話も、それぞれの国、土地ごとに民衆の見聞や体験をもとに語られ書き留められたフォークロアです。西欧からだいぶ遅れましたが、『遠野物語』はそれらに準じる日本式フォークロアであり、話と生活習俗などをも含み込んだ民俗学＝フォークロアの先駆でした。民間伝説の収集と研究が、それを生み語ってきた人々の考えや風俗、しきたりなど、暮らし全般への関心になって視野も広がっていきます。そこに、民間伝承を

遠野の人々のフォークロアの里山、六角牛山（六角牛神社から、撮影：藤原成一）

中核にしてフォークロア＝民俗学が地域学、人間学、文化学として、柳田を核として構築されていきます。柳田民俗学は多くの賛同者を呼び、西欧とはニュアンスを異にする独自の日本民俗学、新国学へと成長し定着していきました。

フォークロアが伝承してきた伝説・民話

柳田は忘れられていく民衆や追いやられていく庶民たちの語りに耳を傾け、そこに近代以前の、地域によっては当代の、素朴な民衆の姿、表層から内面までをも含む民衆の実直な声、風土と協働して生きる生態を読み取ろうとしたのです。とりわけ、柳田がとぎすましたのは耳の学問、民衆の語りを聞くことでした。民衆の声、民間に愛される語りに、民衆が生きる社会の真実の姿があると考えたからです。民間伝承・口承伝説の世界に分け入っていくうちに、柳田は三つに分かれていく流れを見いだします。民間説話の三展開とは――。

一は、「伝説」です。『遠野物語』のように、誰が語り始めたのか定かではなく、こんなことがあった、こんな不思議、こんな怪異、こんな人々のこんな営みがあった、と実見したことや見聞したことを話すうちに、土地の記憶・伝承として、集落の伝説的歴史として定着していったのが伝説です。そこに住む人々からおもしろい、大切だ、と思われた話は語り継がれ、追加され、時を追って育てられていきます。伝説は土地に生きる人たちが大切にしたいと願う内なる声であり、時を重ねて成長し変化していく土地の心です。それは荒唐無稽なつくり話でなく、村の社会に通じる話、ときには集落の外からやってくる人からの情報であり、地域社会の共同知となったものです。したがって、話の核には実際に起こった事柄がしのばせてある、そのため事実を読み取りうる、とするのが伝説です。民間知の遺産、語り部の贈り物です。

二は、「昔話」です。聞く者がどうせ現実にあったことではない、事実ではないと受け止めるような話で、伝説に比べて物語化が進んでいるものです。それらは本格的昔話と分類されるもので、周知の「カチカチ山」「桃太郎」「一寸法師」「わらしべ長者」「瓜子姫」などの類いです。伝説が土地や風土に根づき縛られた話であるとすれば、昔話は、細部を自分たちが住む土地や聞き手の好みに合わせて変えながらも、広い地域に伝播し、遠く離れた土地ごとに、話の大筋は保ちながら、育てられていったものです。柳田は伝説に土地の深層や表層を読み取り、昔話に広域にまたがる共通知や共同願望を推察して、日本人の考え方や心の内を解読してみせます。たとえば「一寸法師」や「瓜子姫」などから「小さ神」という民俗信仰の核を抽出するように。「花咲か爺」「カチカチ山」などから「隣の爺」や「婆」の欲張りを笑い、正直をたたえる民衆道徳の古態を感じ取ったりします。「昔話」は地域と中央の交流のなかに、語りの洗練を経て、文字化されたりして本格的民衆文芸として定着し、いくつもの類型に分類されるまでに成長をみせました。

昔話はみなさんおなじみですし食傷ぎみでしょうが、それを読み直しすることで意外な真相、日本人の古い心の内、心情や生態を掘り起こす研究もあります。たとえば「ものぐさ太郎」や「三年寝太郎」。なまけ者、「のさもの」が幸せを得る話ですが、なまける、「のさをこく」ことは、民衆の知恵であり、世の真相を知る者の抵抗でもあり、それが一転してまじめになるのは環境に応じての「のさ」の変質、すなわち「のさ」（なまけ）から「のさばる」（自己主張）、自力をたのむという方向へ、まじめに向かうからです。のさばりうるほどの知恵と努力と神の加護によって、幸せへの道が開けることになります。教訓譚めいていますが、そうではなく、沈滞した時代の空気を感知し、わが道を打開していく庶民の力の掘り起こしの物語なのです。昔話はつくり話でありながら、語り口に隠し味のように民衆知、柳田の言葉でいえば、したたかな「常民」の知と技とを読み取れるのです。工夫されたフォークロアです。

三は、本格昔話からこぼれたもの、笑いをとるためにつくられた話、「笑話」です。バカをしでかす婿を笑う「婿入り話」など典型です。人を笑わせるための話で、オコ（バカ者）にバカを演じさせてはみんなで笑い声を上げて楽しむ。笑いは日常の鬱を散じてくれます。癖がない笑い、人を傷つけない笑いは共同生活のカンフルです。民間伝承（口承民話）のなかに「伝説」「昔話」と並んで「笑話」が語り継がれてきたのは、それぞれが共同体社会にそれぞれの効能をもっていたからです。笑話では力を誇る天狗や鬼の失敗譚、狡猾な狐や狸のトンマぶり、社会で地位を占める僧や権威をもつ大名の裏面などが、多く笑いの対象とされてきました。力ある者、威張る者への笑いによる批判です。また、権力に向けられた批判といったまじめな類型とは違うもの、ナンセンスなものも、時代や社会を異にすれば生まれてきます。風刺性ややじ馬根性はなく、ただおかしいたわいない話です。

人に噛みつく犬がおり、どうしたものかと思案する人に、よい知恵がある、虎という字を掌のひらに書いて、それを犬に見せれば噛みつかぬ、と僧が教えます。早速、虎という字を掌のひらに書き、吠えかかる犬に見せたところ、何の効目もなく、がぶりと噛みつかれます。くやしく思い僧をなじったところ、僧いわく、推しはかるところ、きっとその犬は文盲だったからだ。

（『江戸笑話集』〔日本古典文学大系〕、岩波書店、一九六六年）

主人が四谷を通りかかると人だかりがあり、なかに人が倒れています。見ればうちの丁稚です。急いで帰り、知らせます。丁稚はすぐに四谷にとんで行き、帰って来ます。俺じゃなかったよ、ご主人。

（同書）

こんなたわいのないナンセンスも口承民話で、民衆にとって必要で大事にされた民衆知や集合知から生まれました。フォークロアの端っこに分類されていても、ナンセンスは日常を離脱する意外にレベルが高い知恵でした。

見捨てられる「不幸なる」妖怪・お化けたち

「伝説」「昔話」「笑話」が、世間知にも通じ合う共同文芸としての民間説話（民話）の三つの柱です。しかし、世間話は人が集まるところではいつも新しく生まれたもの珍奇なものが求められつづけます。基本の民話の範疇からずれる民間伝承として、さらに、四「妖怪・化けもの話」があると柳田は追加します。そのうち幽霊、怨霊などの話は伝説と通じるものですが、化けもの話となると、「麻布七変化」とか「本所七不思議」など土地や場所と結び付いた伝説もありますが、基本は正体も定かでない虚譚で、刺激を求める聞き手の好奇心に応えるつくり話です。現代にあっても絵画で『百鬼夜行図』のマンガ的表現が楽しまれるように、化けものの百物語が楽しまれる時代や社会もありました。怖いものが見たい、気味悪いことを聞きたいのは人間や社会の癖なのかもしれません。そんな世間話として、妖怪・化けもの話が都市だけでなく各地に生まれ続けました。いまも時代が閉塞しておもしろくないだけにその変形表現は求められています。しかも現代の妖怪・化けものは多彩です。さあ、みなさんも、現代の妖怪・化けものの創造、絵画化を試みてはいかかですか。それら「不幸な」存在への声援です。新しいフォークロアによる化けものづくり、不幸な妖怪たちへのオマージュとしてのフォークアート新生の実験です。柳田は開化策とともに説話からも世間話からも見捨てられていく妖怪やお化けに同情し、それらを生み育てた世間に呼びかけます。彼ら不幸な妖怪やお化けを主人公とする「不幸なる芸術」の再認識と再生を呼びかけます。カッパも一つ目小僧も山姥や山男も、ロクロ首も見越し入道も世間から追われて居場所を失っていきました。柳田がみるところ、妖怪やお化けたちは「通常人の人生観、わけても信仰の推移をうかがい知る」貴重

現代に生きる「座敷童子」
（出典：前掲『愛蔵版 妖怪画談』135ページ）

現代に生きる「山男」
（出典：水木しげる『愛蔵版 妖怪画談』〔岩波新書〕、岩波書店、1992年、109ページ）

な存在なのです。日本人、日本文化の古層にうごめいていたもので、彼らには通常人の生のイメージの裏面が託されている、というのです。人間や世間の深層意識、集合意識の古態が彼らに残存しているというのです（「妖怪談義」『定本 柳田國男集 第四巻』筑摩書房、一九六三年）。

ちなみに余談ながら、怪異もののなかでの「幽霊」と「お化け・妖怪」との柳田の区別にふれておきましょう。「お化け」は出現する場所が決まっていて、相手かまわず出没します。おもに宵、たそがれ（誰そ彼は）時、かわたれ（彼は誰）時、逢魔が時（魔に逢う時）、薄明時に出ます。お化けに対して幽霊は「やってくるもの、向かってくるもの」です。特定の人、恨みがある人のところに、深夜、丑三《うしみ》つ時にやってきます。両方とも人を驚かせ怖がらせることは同じでも、姿も性情も出現目的も時刻も異にし、幽霊が個人的要素を帯びるのに対し、お化けは世間に開かれた世間話の面をもちます。世間の心情を託され関心ももたれながら世間からしだいに冷たく扱われるようになったところに、柳田は妖怪やお化けを語る妖怪譚の「不幸」を見、「不幸な芸術」と惜しんだのです。柳田には人や社会など弱者やマイノリティーへの慈愛がありますが、見捨てられていくもの、「不幸なもの」への同情も強烈でした。民衆の心、フォークロアの底にある心情と通じ合うものです。

民間説話からさらに逸脱し、もっと世間話らしくなって拡散していったものもあります。五つ目は「なぞなぞ」「諺」です。「なぞなぞ」も「諺」も古くから、特に平安時代から中世にかけて人が集まるところでもてはやされ、品を落としながらも近世には日常の生活や世間付き合いのなかにまで浸透していきました。その果てが「地口」や「ダジャレ」です。「一、なんぞ」(答え、いちご)、「椿落ちて露となる、なんぞ」(答え、雪)、「もろこし(中国)のはてはあらしと立ち返る、なんぞ」(答え、衣)、「山の中に風が入った、なんぞ」(答え、嵐山)などと、たわいないなぞ(なんぞ)あそびに興じ合い、なあーんだとみんなで大笑いする。それが世間をくつろがせ、人間も社会もなごませました。誰をも傷つけない笑いは世間付き合いの得がたい潤滑剤です。なぞなぞは社交具であり、「なんぞ」「これ、なーんだ」という問いかけは知己の挨拶でもありました。

世間話のエッセンスともいうべき極め付きの秀句が諺で、世間知として通用していきます。諺や俚諺を知っていて会話などに用いることは世間を渡る処世の基本作法で、それに通じていることは世間人として容認されている証しでもありました。「イヌも歩けば棒に当たる」式のいろはカルタも俚諺の応用で、諺には笑いとあそびがあり、そのために世間の緩和剤、通行手形ともなったのです。笑いとあそびは世間の常態をつくり、人々を互いにくつろがせます。諺は世間批判、人間寸評の面ももちますが、それが笑いとあそびのオブラートでくるまれることで、妙句、金句として世間に流通するようになったのです。こういうしなやかでしたたかな民衆知の衰退を柳田は「不幸」としてとらえることで、見かけだけの文明開化を、根底から、フォークロアに基づく民衆知から、批判しようとしたのでした。つくり手も不明、形式も不定ですが、世間という不確定なようで実際は上からの政策などよりはるかにしなやかな安定した集合知、フォークロア知からの諸表現に、柳田は人間が営む文明の根底、表現の基層を見て取っていたのです。うれしいことに口承伝承には昔話、笑話、妖怪・お化け話、なぞなぞ、諺など、笑いとあそびがあふれています。柳田は笑いが失われていく近代社会に抗し、これら民話、民間知、世間知に共通して流れるしなやかでしたたかな民俗の知、常民の作法の再掘と新生の願いを、「笑いの本願」とか「不幸なる芸術」という書名に込めました(「笑の本願」「不幸なる芸術」『定本 柳田國男集 第七巻』筑摩書房、一九六二年、「なぞとことわざ」『定本 柳田國男集 第二十一巻』筑摩書房、一九六三年)。人間・社会の正常態を保持するものとして笑いとあそびを把握し、その実践を志していたからです。

フォークロアがアート表現をつくる

柳田國男のフォークロアから語り始めるなど、みなさんの関心から離れた話題になりました。困惑したことでしょう。しかし、フォークアートという民衆がつくり育てたアートの基層を再発見し、衰退し混迷しているファインアートを現代アート、現代人の心にもフィットするアートとして新生するためにも、その出発点であるフォークロア、日本では民間伝承とも民話とも訳され、民衆が生み育て、かつ民衆文化を培ってきたフォークロアの考え方、方法を、現代が不確定な混乱の時代だけに、しっかりとわきまえていなければなりません。音楽を制作するとき原点であるフォークソングが、舞踊や演劇では原点であるフォークダンスが忘れてはならない土台であるように、アートを考え制作するとき原点であるフォークアートとその土台であるフォークロアの認識は、迂遠のように見えて必須です。フォークロアは民話、世間話として普通の人々である常民の基本知、世間知であり、生活法です。フォークロアが常民を育て、地域を、風土を、日本という国の骨太の骨格を、つくりあげたのです。

柳田は、フォークロア＝民話・民俗・民俗学を生み育て上げ、それに育てられた人々を「常民」と称しました。柳田は大衆とか民衆という漠然とした用語を退け、特に国民という上からのまなざしの言葉を拒否し、普通にみんなと一緒に暮らす人たち、日常を世間知という常識をもって普通に営む人たちを「常民」ととらえ、常民こそ

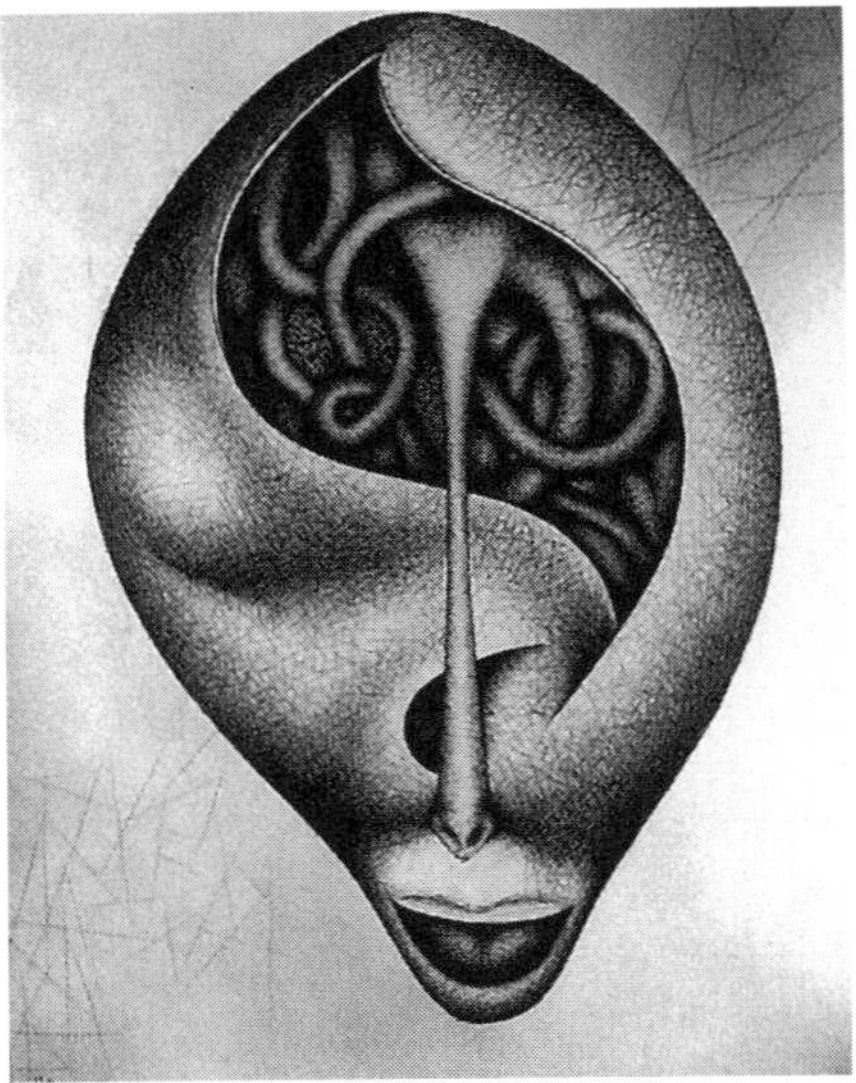

前衛美術としての化物。池田龍雄『百仮面』（1963年、山梨県立美術館蔵）
（出典：前掲『万歳七唱 岡本太郎の鬼子たち』52ページ）

前衛美術としての化物。池田龍雄『M38X』（化物の系譜シリーズ）（1958年、山梨県立美術館蔵）
（出典：川崎市岡本太郎美術館編『万歳七唱 岡本太郎の鬼子たち』川崎市立岡本太郎美術館、2000年、50ページ）

がフォークロアを推進するとして、常民の学としての民俗学を構想しました。国民などという画一的・抽象的な用語でくくられる人たちでなく、常食や常備などと用いられる「常」を冠する人たちこそがこの国の支えであるとして常民を同志とみていました。その姿勢には権力や指導者への抵抗があり痛切な批判があります。常民として社会に対し現実に向き合うのが客観的フォークロアの根本であるという信念です。偏向した立場からは健全な民俗学も日本学も民話もアートも期待できません。偏向を好む個性、個性といえば偏向をよしとする浅薄な風潮に対し、中庸・中道を本道とする常民哲学は良心的表現者の常備のスタンスです。柳田学が中央から全国各地にまんべんなく浸透していったのは、柳田の人間観、常民こそ国の中核だとする偏見がない人間哲学の力、真のフォークロアの力でした。

　この国に生きる人々＝常民やマイノリティー、この国の社会の営みについての正面きっての問いかけは柳田以前にめぼしい仕事はなく、断片的でした。柳田はフォークロアという民間伝承を手がかりに、日本という国を古層や現状からとらえてフォークロア＝民俗学を築き上げました。フォークソングもフォークダンスもフォークテールもフォークアートも当然に調査と考察の対象です。民間伝承から昔話・世間話・妖怪譚へ、地域の風俗・文化から一国の風俗・文化へ、郷土や風土の習俗風習から中央のそれらへ、山の民や海の民など文明化をはかる土地から追われゆく人々の生態調査へ、国語や方言などの通用言語の現状と史的考察へ、子どもの文化・あり方から女性の生のあり方や使命まで、さらに専門とした農業政策、農民の現状の改善へと、富国強兵と開化政策が置きざりにし、また抹消しようとした問題群を残らず自らの民俗学の課題とし、それらを統合的に基層と現状調査から把握することで独自の一国民俗学の樹立をはかりました。研究調査は柳田個人だけでなく、全国各地の同志と協働し問題課題を深め合いながら連帯の学としての民俗学をめざし、そこから多大な成果も導き出しました。フォークロア学は個を超えた連帯の学、全国各地の差異をも統合しながら構築していく集合知の学になっていきます。自らの関心、全国からの関心に応え、柳田が取り上げなかった重要問題はないともいわれました。本章では広大な柳田学の出発点、民間伝承というフォークロアから出発したためアートにまでふれませんでしたが、民話の心と作法はそのままフォークアートの心と作法として柳田の内部にありました。

さあ、フォークロアの基本的な心と作法と姿勢を身につけて、新しいフォークアートの創造に挑んでみましょう。マスメディアや他者操作の情報に左右され、自ら目や耳など五感を駆使してあそび、笑い、話すことを忘れ去った現代に、「実感」を取り戻すために、フォークロアがもつ純朴、ストレートでプリミティブな心と作法を再生・再燃しましょう。現在は常民知、集合知、社会脳が欠損している時代です。持続可能な人間社会を構築するためには、フォークのエネルギーは不可欠です。フォークソングやフォークダンスの軽快なリズムに乗って、楽しみながらアート革命を進めましょう。

［ワークショップ課題］

①『遠野物語』の伝説を絵画化してみよう。挿図でも可、独自の絵でも可です。

②社会を見つめ、現代のお化け絵、妖怪画をつくろう。マンガやアニメでない前衛的・社会的な問いかけです。

③昔話を新解釈しながら絵画で表現しよう。奈良絵本（室町時代末期から江戸時代にかけて刊行された絵本。絵仏師が描く奈良絵を挿絵とする。テーマは御伽草子が多い）の現代的再生の試みです。

第2章

フォークアートの発掘と創造

――柳宗悦の美革新

「生を考える」こと「モノを見る」こと

一九一〇年四月、「白樺」創刊。学習院出身の仲間、武者小路実篤、志賀直哉、木下利玄らの回覧雑誌「望野」と、二年後輩の里見弴、園池公致の「麦」、児島喜久雄、田中雨村らの「夢」、さらに年下の柳宗悦、郡虎彦の「桃園」のグループが合同し、回覧雑誌から同人誌として刊行されました。文芸を中心にしながら、思想や宗教、美術にも若い関心を伸ばした総合文化誌でした。同人たちは、恵まれた家庭環境に育ち、上層部出身であるという姿勢と使命感をもっていました。当時、主流の自然主義に背を向けて現実に批判的目を向け続ける夏目漱石に親近するのも「白樺」の姿勢でした。個人を表現しながら互いを認め合い切磋しあう自主尊重の新雑誌でした。

「白樺」が創刊されたのは、日本が韓国を併合して韓国を「朝鮮」と改称した年です。日露戦争後、一九〇五年に韓国総督府設置、南満州鉄道会社設立（一九〇六年）、韓国皇帝を退任させて、韓国の内政を総督の指揮下に置き（一九〇七年）、内政干渉から日本統治へと改造を進めます。その強圧的侵攻に抗して韓国総督の伊藤博文がハルビンで独立運動家の安重根に暗殺されます（一九〇九年）。欧米列強のアジア進出と競い合っての海外進出熱は政財界の煽動のもと国民にまで伝染します。日本は韓国、中国、台湾へ、東南アジアへ侵攻し、植民地化を進展させます。これが、「白樺」発刊時の世情です。富国強兵と文明開化に狂奔する時代への漱石の痛切な批判精神には至らず未熟でしたが、漱石のよりどころとした個人主義が「白樺」の良心です。同人のなかには有島武郎の社会主義への傾斜、武者小路実篤の「新しき村」設立など、社会への問いかけも見られましたが、それらにも上からのまなざしは感じられます。

柳宗悦も父は海軍少将、元老院議員、貴族院議員という海軍・政界の上層指導者の一人です。個人主義の風潮と日本帝国主義の横政、二つに挟まれて柳は自己形成していきます。二十一歳で「白樺」に参加した柳は、個性豊かな仲間との学びと対話を通して研鑽したことを自らの課題として「白樺」に次々と論考を発表します。課題は大きく二つです。

一つは「生きるとはどういうことか」という問いの方向です。生の意味を哲学、思想から問い、「なぜ」「いかに」生きるか、と倫理、宗教面から考察していきます。著しい進歩をみせる科学にも向き合い、人間にとって「科学とは何か」と、生に関わる意味を問いかけます。取り上げるのはイギリスの詩人で画家、神秘主義哲学者ウイリアム・ブレイク、アメリカ民主主義を称揚するウォルト・ホイットマン、プラグマティズムの提唱者、哲学者・心理学者ウィリアム・ジェームズらです。

もう一つの方向は「美とは何か」「人間にとってなぜ美は必要か」「どういう表現が美ということか」など、「生の意味」の追求と併行して、美への問いが連動していきます。近代の西洋美術への関心がこれらの問題を引き出し、問題意識がこれらについての追求を迫ります。画家としてのブレイク、世紀末の幻想的挿絵画家オーブリー・ビアズリーに誘われて、フィンセント・ファン・ゴッホ、ポール・セザンヌ、アンリ・マチス、ノルウェーのエドワルド・ムンクへ、人間とその集団を造形して宗教性を感じさせるアウグスト・ロダンへと、彼らが何を問いかけ、どういう表現が人間に必要とされる美か、と思索を展開します。ヨーロッパの画家・彫刻家の紹介が乏しい時代にあって、わが国に知られることが少なかった画家についての思索的考究は若い情熱にあふれています。使命感さえ感じられる柳の趣意に引かれて岸田劉生や萬鉄五郎などの画家も「白樺」に参加してきます。のちに親しくなるフォークアート色を前面に出した版画家・棟方志功もおそらく柳の画家紹介の絵画論に触発されていたことでしょう。

同人たちの感想、外部からの批判に応えながら、二つの問いは深められ幅を広くしていきます。「白樺」という舞台では、深い交流にもまれた個でありながら仲間・グループによって容認された表現、個と集団が厳しく向き合いながら融和し、融和から個を超えた表現も生まれてきます。個性とは何か、連帯とはどういう行為か、集合知、連帯知はありうるか、そんな問いが実践の場から芽生え、柳自身の身辺の変化に重ねて、時代や社会の動きも「白樺」という発表の場を超えて柳に迫ってきます。

すでに縁を得て親交のあったイギリスの陶芸家でコスモポリタンのバーナード・リーチが北京から送った手紙で日中関係の破滅状況を知り、痛憤していたとき、浅川伯教から李朝秋草文面取壺などを贈られます。その美しさはかつて接した美とは表情も意味もまったく異にし、これまで追求してきた美の尺度では測れず、作者がわからない無銘の壺や焼き物はじっと見つめることでしか表現できない美でした。ここで奇《く》しくも二つの問いが重なり合います。生の状況は日本の浅薄な国際感覚と無謀なナショナリズムで危機に直面しています。そうしたなかで、個々人の生のあり方も政治・社会の動向のなかで考え、身を処し、姿勢を確保しなければならない乱世になってきたのです。悪化するアジア情勢、隣国の人たちを踏みにじる日本ナショナリズムのもと、表現者はそれぞれ自らの良心と行為を問い／問われる事態になってきます。柳宗悦に「白樺」からの飛躍、脱却を促したのは、この二つの問いの考察と、アジア諸地域への暴力的植民地化という事態と、朝鮮陶器との出合い、この三つでした。柳は朝鮮の現状を見つめようと、朝鮮・中国への旅に出かけます。ときに二十七歳でした。

朝鮮との出合い、憤りと決意

一九一六年八月、柳は朝鮮・中国への一回目の旅に出ます。大邱の海印寺、慶州の仏国寺、石窟庵など、古代日本と深いつながりがあった朝鮮の文化文物、特に仏教文化に感銘を受けます。次いで京城（ソウル）を拠点に九月中旬まで遺跡や窯跡などを巡ります。さらに中国へ。北京で歴史の跡を巡り、リーチと再会して親交を深め、リーチの来日を約して、十月、南京、上海を経て帰国、二カ月間のあわただしい旅でした。巡った朝鮮では日本の侵略は全土に及んでいました。一九年三月一日、朝鮮で独立運動が起こり、先年みた惨状と重なり、日本政府への憤りから「白樺」に次々と朝鮮への思いを発表します。朝鮮とその文化を知るには、まず朝鮮の人たちの悲しみ、苦しみ、すなわち心を知ることです。柳は自らの心の痛みを重ねて朝鮮の心を思い、心からなる自分の思いを訴えます。おそらく無名の職人たちの作業風景や焼き物への思いも重なっていたことでしょう。「朝鮮人を想ふ」というタイトルにも心痛の深さがうかがわれます。三・一独立運動は京城から全土に広まり、日本政府の出先機関・朝鮮総督府は強権で弾圧に弾圧を重ね、運動参加者を多く虐殺しました。

一九二〇年二月、「京城日報」に柳夫婦の来朝が報じられます。朝鮮の人たちもすでに柳を朝鮮を知ろうとする日本の良心と見、期待するところがありました。「朝鮮人を想ふ」の朝鮮語訳が「東亜日報」に連載され、「朝鮮の友に贈る書」も連載が始まります。しかしすぐ中止。五月、妻・兼子、リーチとともに二回目の訪朝。声楽家の兼子の独唱会と柳の講演会をおこないながら朝鮮を巡回します。翌年には「朝鮮民族美術館の設立に就て」を公表し、一月、準備のため訪朝、五月の四回目の朝鮮の旅では、兼子の独唱会と講演会を催しながら京城から平壌へ巡回。さらに八月、五回目の訪朝。とりつかれたように朝鮮の美の調査、収集、美術館設立のための資金集めの旅が続きます。二二年一月、六回目の訪朝ではもっぱら窯跡調査をおこない、九月、七回目の訪朝でも窯跡調査を続けます。二三年十月、関東大震災朝鮮人救済音楽会を開くために訪朝（八回目）、震災時の朝鮮人虐殺への陳謝の旅でもありました。翌二四年三月、景福宮内で朝鮮民族美術展開催、それを記念しての講演会と独唱会の旅でした。

朝鮮との出合いと交流は柳の新出発になり、美の考え方も揺るがしました。朝鮮を植民地として併合した日本帝国主義、その出先機関・朝鮮総督府の強圧的な政策には目に余るものがあり、姓名を日本式に変えさせ、農地を没収して小作民とし、村々には日本の神社をつくり鳥居を建て拝ませ、天皇への忠誠を強要しました。朝鮮民族の邦人化、村の改造だけでなく、朝鮮で培ってきた伝統や風習など固有の民族遺産が破却されていきました。植民地政策で朝鮮から民族民俗文化、フォークロアが消されていきます。

朝鮮の調査が進むにつれて民俗文化が発掘・発見されていきます。素朴でユーモラスな民画、とぼけた虎の絵、お守りの柱絵などに朝鮮民衆の祈りの心を読み取ります。全土各地でその地の特性を生かした陶器を焼いていましたが、それぞれの地の手仕事は驚嘆の連続でした。土地の肌合い、釉薬、プリミティブな線や色による絵付けで制作された陶器はすべて実用品・日常具です。それらが銘入りの陶芸作家にはない確かな風合い、存在感で見る者に迫ってくるのです。民衆による民衆のための民衆の作品、それが朝鮮の焼き物で、柳に、これぞフォークアートという考えが浮かんできます。

朝鮮民画
（出典：柳宗悦『朝鮮とその芸術』〔「柳宗悦全集」第6巻〕、筑摩書房、1981年、514ページ）

十六世紀、千利休の時代、日本で朝鮮の日常陶磁器がわび茶の湯の道具として珍重されたことがあります。権力者や大名たちが催す大名茶・書院茶では中国舶来の茶器を競い合いましたが、それへのわび茶の抵抗です。わび茶世界で大名物と伝承されてきた井戸茶碗も刷目茶碗も朝鮮の無銘の焼き物、名も知れない職人たちの手になるもので、利休の美学とつながるものです。ここで三百年余を隔てて、利休と柳宗悦の目と思いが重なります。二人は日本を象徴する美学者・デザイナーです。仰々しい作品や自分を主張する作家でなく、無銘で主張もなく、手にする人の判断に委ねるという趣の作品が、二人に共通する好みでした。名や飾り、主張など、よけいなものを削除していく削除型の美、デザインです（もう一つの型は次々と飾りを付け加え主張する加上型デザインです）。柳は朝鮮で改めて、美とは何かという当初の問いを問い直し、そこにフォークの力によるフォークが生む美、フォークが手にして楽しむフォークアートを発見し、自らの美学の拠点をそこに自覚しました。民族の伝統、フォークロアが蹂躙されていくなかで、憤りと苦しみと悲しみを抱えた美の発掘で、無名の職人たちの導きでした。柳の美哲学には力を振るう者への抵抗があります。

柳は決意します。思索者であっても実践者でなかった柳は、苦しむ朝鮮のため、無視され破棄される美のため、土地をつくった伝統やフォークロアのために立ち上がり、朝鮮民族美術館設立へと実践に向かったのです。朝鮮の人たち、朝鮮という国、朝鮮の歴史と文化、美の本道を守りたい、守らなければ、という使命感です。李氏朝鮮期の民衆工芸、陶磁器、石工・木工・金工品、民画など、フォークの力が生んだ作品、柳自ら美の本道とするフォークアートを収集し展示することで、朝鮮と豊かな朝鮮文化を再確認させ、日本に反省を迫るとともに、朝鮮に自信をもたらそうという考え・姿勢です。青年期に抱いていた二つの方向、生き方・美のあり方が、思索に重ねて実践へと向かっていきました。

フォークロアは客観的に向き合うものでなく、参加し、もまれ、協働することで認識も改まり生気づくという自覚が、美意識の変革を迫り、過酷な現実に抵抗することで、生も哲学も倫理も強化されることを痛感しての進展です。柳は現実と美の双方向からの思索を重ねて、朝鮮を見いだし、民衆の美、フォークロアに基づくフォークアート、真の美を見いだし、その成果に立って実践家へと転じていきました。

日本のフォークアート、民芸の発掘へ

柳宗悦には生涯を追って四つの美との出合いと発見があり、それぞれについて美学を練って、収集・展示など実践活動もおこないました。朝鮮での活動のさなか関東大震災があり、日本に目を向ける機会も多くなります。朝鮮の美の発見に次いで、震災の翌年、木喰仏《もくじき》に出合い、木喰上人の足跡をたどり各地を巡ります。木喰仏の発見は従来の仏像美学に修正を要求するものでした。型どおり儀軌どおりの仏像にはない土地の声を聞き取り、木材そのものが要求する形に従って彫り刻み、木そのものの声の出現を助けるのが彫刻であり仏像だとするのが木喰の姿勢です。土地、木、彫り出す人、仏像、それら四者が呼びかけあって生まれ出る「モノ」、それが土地色を映し出すフォークアートになり、フォークロアを語り出していきます。木喰仏があるところにフォークロアが育ち、フォークロアが木喰仏をより懐かしいものとして土地に根づかせていきます。

木喰仏の調査研究に専念しながら、一九二四年、京都に転住。京都では多くの工芸家たちと仲間になりました。京都は、高級品から日常雑器まで、道具を大切につくり丁寧に使ってきた土地柄です。河井寛次郎、浜田庄司、富本憲吉、黒田辰秋といった工匠職人との交わりを重ね、東寺や天満宮などの縁日巡りも、東京育ちの柳に多くの発見をもたらしました。縁日のガラクタ市には「下手物《げて》」(日常使いの品物)があふれ、つくった人、使った人の声や生活ぶりがしのばれ、ほのぼのとした風味も感じられます。西欧の美とは異質の美、下手の美です。それら雑器を手にして、柳たち仲間は「下手物」でなく「民衆的工芸」、略して「民芸」としようと語り合います。民芸という造語の誕生です。朝鮮から木喰へ、木喰から民芸へ、そして民芸は柳の表看板とも見なされるに至ります。

山梨県から北陸、紀州、九州へと木喰仏の調査が広がるにつれ、各地の工芸・文物・特産物が見いだされてきます。各地の風土に感謝しながら風土を慈しみ盛り上げていく、そうした各地の生のあり方、モノづくり、モノ

との付き合いぶりを実地にみて、柳にフォークロア哲学、民俗とか民話のレベルを超えた民衆知としてのフォークロアが見えてきます。民衆知・協働知としてのフォークロアに立ってつくられ、使われ、民芸になって成長していくモノ、手づくりの工芸品が全国各地で発掘され、民芸の美、用の美が顕彰されていきます。工匠や職人たちの仲間と話し合いを重ねながら、一九二六年、「日本民芸美術館設立趣意書」を発表します。その一節。

自然から産み出された健康な素朴な活々した美を求めるなら、民芸 folk art の世界に来ねばならぬ。私たちは長らく美の本流がそこを貫いていているのを見守って来た。

（『民藝の立場』〔『柳宗悦全集』第十巻〕、筑摩書房、一九八一年）

もとより美は至る処の世界に潜む。しかし概して「上手《じょうて》」のものは繊細に流れ、技巧に陥り、病疫に悩む、これに反し名なき工人によって作られた下手《げて》のものに醜いものは甚だ少ない。そこには殆んど作為の傷がない、自然であり、無心であり、健康であり、自由である。私たちは必然私たちの愛と驚きとを「下手もの」に見出さないわけにはゆかぬ。

（同書）

民芸運動の指導者として理論と実践の両面から、河井寛次郎ら仲間とともに、全国を巡り、「下手物」、民芸品を発掘し収集していきます。一九二九年は、一月元旦から西日本の調査の旅へ。丹波篠山から鳥取、安来、松江、津和野、萩、下関を経て九州へ。福岡、久留米、佐賀、伊万里、長崎、熊本、鹿児島を巡り、帰洛します。こういう過密スケジュールの旅が敗戦が濃厚になった四四年まで続けられ、全国の民芸が把握されました。柳たちの指導によって各地に民芸協会、民芸振興会が設立され、民芸理念に沿った創作活動も進められていきます。民芸は日本の生活文化、基層文化そのものとして、地域文化の表象として見直され、さらにクローズアップされていきました。民芸運動と作品収集の実践によって民芸として新生をみたのと同時に、民芸美の探究につれて従来の様式的な美意識も形式的な美術工芸観も変革を迫られ、柳は新しい造形美学を推進していきます。「民衆の日常の生活に必要な実用的工芸」である民芸とは何か、と問いかけ、要約して答えます。その一例、「新体制と工芸美の問題」（一九四〇年）です。

一　民衆的な品物であること。（略）民衆によって購われ民衆によって用いられる品物一般を指すのである。
一　国民的なものであること。民芸は最も率直な国民性の表現である。（略）
一　実用的なものであって、用途を離れては存在しない。
一　健康なものであること。病的なものはもともと実用に堪えない。（略）
一　簡素なものであること。（略）
一　低廉を旨とせること。（略）
一　量的に多く作り得ること。（略）
一　協力的な仕事であること。個人的な仕事は民芸品に成りきれない。（略）
一　伝統に立脚せること。民芸品は個人の自由製作ではない。（略）

（「柳宗悦全集」第九巻、筑摩書房、一九八〇年）

ここで要約されているのは工芸に重点が置かれている狭義の「民芸」です。柳の「民芸」は本書の「フォークアート」の解釈へと拡大しても可です。柳の思想と方法を私たちはさらに展開させて、連帯する共同体的表現として、現実社会に向き合い対話しながら推進していくべきでしょう。民芸の枠からの積極的飛躍を柳もおそらく合意してくれるはずです。

柳は朝鮮の諸工芸調査、木喰仏の研究、そして全国各地の民衆工芸の調査収集では、自分の主観や好みで進めるのではなく、対象に無心に向き合い、対象が語りかける声や風土の風合いを感じ取り、共感したものをアートとしてとらえました。無心で対象に向かうとき、じっと耳を澄まし目と心を開いていれば、対象はすっと五感に、心身に入ってきます。それが対象を体感すること、体得することです。無心に対象に向き合うのは見る者の基本姿勢であるだけでなく、つくる者の基本姿勢であり、使う者の基本作法です。フォークアートは開かれた無心で接するアートです。つくる人も材料も作業過程も見る人も使う人も、無心で呼応しあうとき、個人技も、銘やサインを刻み、それを求める心も浅薄な心得・作法になっていくでしょう。つくる工人が個でありながら仲間と和し、共同体と和し、風土と協働すれば、作品もともに和し、使う人、見る人それぞれに和していきます。フォークロア知によるフォークアートの進歩深化です。

柳は民芸フォークアートの本道を知らせ、その道へと各地の工人・工匠たちを激励し、各地の表現を推奨しサポートしていきます。各地の民芸協団や民芸協会はいわば美の伝道所でした。そしてそれらの理論と実践のうえに、日本民藝館の開館を迎え、各地からの協賛と協働を得てさらに調査と収集は促進されていきました。美の新思想が、宗教伝道のように無心を介して展開していったのです。

しかし、現状は最悪でした。日本の敗戦は目前に迫ってきます。戦時下、柳は遺言のように『手仕事の日本』

大津絵
（出典：水尾比呂志『デザイナー誕生——近世日本の意匠家たち』〔美術選書〕、美術出版社、1962年、221ページ）

（刊行は遅れ、一九四八年、靖文社〔「柳宗悦全集」第十一巻、筑摩書房、一九八一年〕）をまとめます。これだけは残しておきたい、後世のサンプルにしたいという祈願を込めての著作で、全国から手仕事の名品、労作、風土色豊かな作品を選び抜いて顕彰しながら、後事を託しました。『手仕事の日本』を参考に、民芸運動の主軸であった工芸中心の民芸から、その思想と方法をふまえ、絵画や映像表現、光表現なども積極的に取り入れた作品へ、広義のフォークアート制作へと進みたいものです。そこに個性や主張をよりどころとするうるさい表現とは異質な、しなやかでしたたかな、そしてユーモアも風刺もある表現、現代フォークアートが出現することでしょう。柳はその方向を喜んでくれるはずです。さあ、柳に基づきながら柳を乗り越えて実践してみてください。

民芸運動から琉球へ、琉球の風土美

後世に残すべき手仕事。上段左から順に右に鯉のり、屋根帽子、津軽こぎん、中段：遠江凧、富山獅子舞胴帯、京都熨斗、下段：備中花筵、久留米絣、糸満垢取（出典：柳宗悦『手仕事の日本』〔「柳宗悦全集」第11巻〕、筑摩書房、1981年、芹沢銈介カット）

一九三七年、展覧会で沖縄の紅型・絣を見て感動した柳は、翌年「琉球染織特別展」を民藝館で開催。琉球への関心を強めていきます。その年末、初めての琉球の旅へ。現地の指導者や職人と交歓し、多くの工芸品を収集し、翌年一月帰京、沖縄の旅とともにおこなった講演会など成果は上々でした。収集作品の特別展のあとすぐ、三月、二回目の沖縄の旅は久米島の絣の調査など二カ月に及びました。成果は月刊「民藝」誌の「琉球陶器」「琉球」特輯、「琉球新作工芸展」と矢継ぎ早

屋根獅子シーサー
（出典：前掲『沖縄の美』97ページ）

やで、また年末から翌一月、とりつかれたように三回目の沖縄訪問となります。

　三回目の旅では、先の旅でも気づき憂えていた琉球の方言問題をあらためて取り上げ、沖縄県学務部と対立、新聞紙上での論争に発展します。琉球語、島言葉で話す生徒に罰として首に札を掛けさせるなど、日本政府、それに同調する県の心ない方言政策を糾弾する柳に、県は柳の「民芸運動」に迷ふな」と指令、暴圧的な公権と良心的な私人が対立、柳は公権力の暴力、無知を突き、琉球のため、琉球の伝統と文化のために、正論を貫きます。言葉は風土に生まれ育ち、風土も言葉によって成長します。言葉は風土の最も基本伝承遺産です。それを本土と現地の官権・行政が、本土に見習えと本土化政策の強行で抹消しようとしているのです。柳は朝鮮でも政府、総督府、官僚、軍部の暴力的な植民地政策に立ち向かいましたが、琉球でも、上からの暴政、押し付けの非道を糾弾しつづけます。美とは何か、と美の問題を考え実践しつづけながらも、柳にはつねに現実への批判がありました。美は社会や時代と無関係に存在するものではなく、そのなかでのあり方が問題です。現実社会を見つめ、誠実に立ち向かうのが研究者、思索者、表現者たちのあるべき姿勢です。人間はどう生きるか、というもう一つの課題もさらに現実との誠実な向き合いが求められます。柳は自ら課した二つの問いから、沖縄、さらには広く琉球の現状と姿勢を批判し、琉球の本来の姿への自覚を訴え続けました。民芸運動が社会化されていったように、実践は社会と土地を守り育てるものでなければなりません。思索者として柳は強靭な社会的使命を自らに課していたのです。琉球をかけがえのない文化伝承の地であるとみるがゆえの闘いでした。

厨子甕の絵付け
（出典：前掲『沖縄の美』100ページ）

沖縄の陶器、白地飴差厨子甕
（出典：日本民藝館監修『沖縄の美』筑摩書房、1981年、25ページ）

帰京してすぐ七月には四回目の沖縄訪問をします。空、海、木々、花、サンゴ礁、ヒルギ渚など、豊饒な自然とともに生きながら、充実した諸工芸品を生み、諸工芸品に囲まれて生活する、そういう生活景が琉球の実像で、本土ではまったく見られない生活世界です。三回目に続き、琉球の風物、集落のたたずまい、諸工芸の製作現場の仕事ぶりなどの写真を記録として残すことが目的でした。四回目も引き続き琉球方言問題を知事にただすなど、政策批判を展開します。琉球の文化と伝統を知り琉球の心に通じるにつれて、琉球への思いはつのり、琉球の心の表現である方言は守らなければならないフォークロア、伝承文化の核になったのです。

私達が親しく其の地を踏み、眼に耳に口に様々なものを味わうことが出来てから、沖縄を語ることに特別の意義や使命を感じ出しました。なぜなら私達には予期だにしなかった驚きが次々に現れて来たか

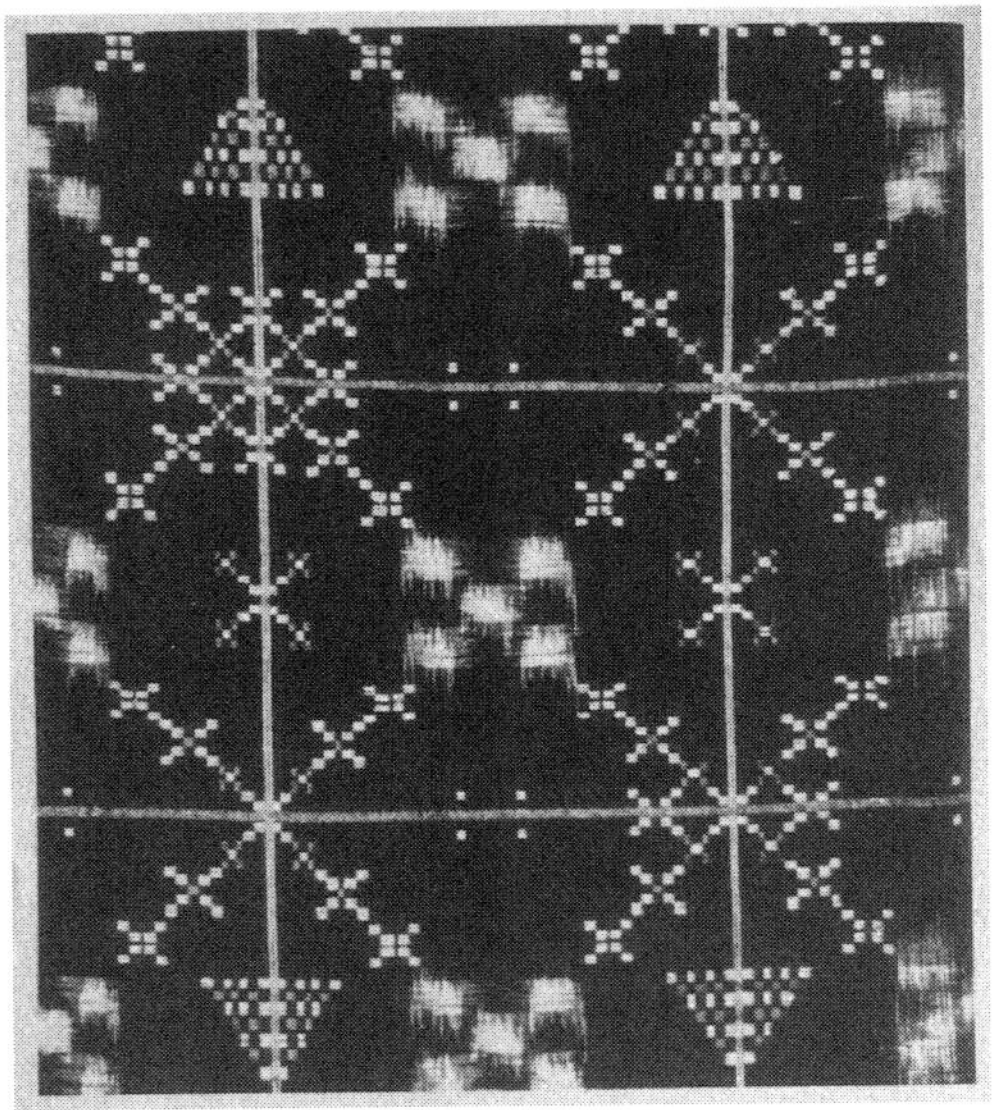

木綿・紺地花織絣入、読谷製 読谷用
（出典：前掲『沖縄の美』95ページ）

藍形、糊引・麻・牡丹文・風呂敷
（出典：前掲『沖縄の美』44ページ）

らです。（略）私達は沖縄で学ばねばならぬことが如何に多いかを知ったのです。そうしてこんな土地がこんな状態で、今尚地上に残されていることを奇蹟の如くに感じました。

（「琉球の富」一九三九年、〔『柳宗悦全集』第十五巻、筑摩書房、一九八一年〕）

恐らく琉球の大きな魅力は、島としての小さな区域の中に、非常に濃く色々な文化財を含有していることである。（略）日本のどこを旅したとて、こんなにも各方面を網羅し、而も見事な成果を見せている所はない。一沖縄に来て、多様の芸能に逢えるのである。（略）特に純日本的な文化面が漸く稀薄になって来た本土に於いて、今尚かかる要素が活々と残っている沖縄を有つことは感謝に余ることであろう。

（「琉球の風物」、一九三九年〔同書〕）

琉球では表現がすべて風土と協調した風土色を帯び、個ではなく仲間や地域の空気を体現したフォークロアになっているのです。自然の恵み、風土の味わい、土地の心などを、生活のなかで生活景として体得した人たち、工匠や職人たちの作品もすべてフォークロアの土壌に育ったフォークアート、広義の民芸アートになっているのです。フォークロアが染織や民芸や陶芸・漆芸などの工芸を集わせ語らせ融和させていくのです。貧しさゆえの地縁や業縁などの縁、結《ゆい》の伝統習俗が自衛として機能しているのでしょう。こういう豊沃な自然や風土、文物や生活景が、柳が足繁く沖縄を訪れた数年後、本土の犠牲とされた沖縄地上戦で破壊されてしまいます。土地が焦土と化し、さらに占領されてしまっては、フォークロアやフォークアートも変質し消されていきます。しかし柳の琉球への思いは収集に、展覧会に、雑誌に、文章に引き継がれていきます。それを示すのが、日本民藝館の朝鮮文物と並んで充実している沖縄文物です。それらの収蔵品からは狭義のフォークアートの神髄をみることができ、またそこから広義のフォークアートへの道も学ぶことができます。柳の願いと使命はいまも継承されているのです。

朝鮮、木喰仏、民芸、琉球へと美の探求の果て、晩年、柳は無心の美と生き方の融和としての「美の法門」「美の浄土」を提唱、民芸美学から仏教美学を構想しますが、アート表現を主題とする本書では割愛、そのかわり、晩年のその願いも汲みながら、民衆美学を超えたフォーク美学と、それに基づく個と共同体が協働するフォークアートの先端へと飛躍していかなければなりません。

［ワークショップ課題］

①朝鮮民画、大津絵、柱絵など、床の間の飾り絵でなく、泥くさい絵を描いてみよう。現代の民画づくり。

②シーサー、鬼瓦、狛犬など、屋根飾りや守り神を現代の生活空間向きに再創造してみよう。

③『手仕事の日本』の地を訪ね、染織や陶芸を絵画として新生してみよう。

第3章 前衛アートとフォークアートの共闘

——岡本太郎の「生命」アート観

どしどしと社会のなかへ出て行って、民衆とともに仕事をし、公共のために奉仕しなくてはならない時代です。（略）何よりも現代芸術家に必要なのは、チーム・ワークの精神であり、その実践であります。

（東京都美術館／NHKプロモーション編集『OKAMOTO TARO：A Retrospective——展覧会 岡本太郎』NHK・NHKプロモーション、二〇二二年。本章の史的記述は本カタログによる。）

混沌期、表現はどうあるべきか、前衛の試み

一九五四年、岡本太郎の提案で現代芸術研究所が設立されました。その趣旨の一節です。社会のなか、民衆とともに、公共のために、チーム・ワークなど、強烈な個性とアヴァンギャルドの芸術家・岡本にしては珍しく素直な言葉です。しかし、岡本にこういう表現をとらせる空気が、当時の日本、特に芸術界にありました。一貫して芸術表現のあり方を模索・実験してきた岡本だけに、芸術表現に限界を感じることも多く、その焦りに似た使命感が社会へ、公共へと自分を鼓舞し、同志に呼びかけさせたのでしょう。この実直な表明に岡本の内なる本質

が読み取れるかもしれません。

戦中召集された岡本は中国での兵役ののち長安で捕虜になり、抑留生活を送り、一九四六年に帰国します。敗戦後の混乱のなか、翌年から精力的な表現活動に入ります。「夜」「夜明け」とか「電撃」という作品のタイトルが語りかけるように、アメリカ軍統治下の暗澹たる政治・社会状況、生活物資不足、社会主義・コミュニズムの活動が活気ある労働環境など、先が見えないなかでの制作にふさわしく、夜を見つめ夜明けに向けて状況を炸裂させようという気迫も感じ取れます。四七年、日本アヴァンギャルド美術家クラブに参加、パリ時代から続く前衛芸術の方向を進みます。四八年には文芸文明批評家・花田清輝と意気投合、野間宏や椎名麟三、埴谷雄高ら戦後文学の推進者たちの参加も得て「夜の会」という表現の討論会を始めます。個性も発想も異にする表現者たちの発表と討論は、岡本の絵画、詩や批評活動、芸術論に深く染み入るものがありました。同年、花田とアヴァンギャルド芸術研究会を発足させ、山口勝弘や勅使河原宏らも参加します。本命とするアヴァンギャルド活動の成果は『岡本太郎第1画文集 アヴァンギャルド』(月曜書房、一九五二年)として結実、そこで自説の「対極主義」を提唱します。伝統と創造、有機と無機、秩序と混沌、動と静、私と公など、対極とされるものを、融和させるのではなく、ディスカッションさせ闘わせ、あわせのんで、もう一つ別次元に止揚する、他を排するのではなくそれぞれの個性のままにのみ込んで別次元を構築する、それが自分の表現の信条であるという宣言です。差別や排除は対極主義にはじゃまで、自を他との、私を公や社会との関係でとらえようとする姿勢は、以後、岡本芸術をフォークアートへと通底させていくことでしょう。対極主義は抱擁力です。

一九四九年には日本鋼管の労働組合絵画研究会に出席、日産自動車で描いた『重工業』の出品など、社会的活動と同時に、「アヴァンギャルド宣言――芸術観」(一九四九年)を発表し、わが道を進展させていきます。ちなみに、『重工業』は赤い機械と緑のネギが絡んで存在する対極主義表現になっています。

各種展覧会に旺盛な出品活動を続けるなか、一九五一年、東京国立博物館で縄文土器に出合います。その衝撃は甚大で、表現とは何か、何を表現すべきか、根本から芸術表現を揺るがすものでした。自身が本命とするアヴアンギャルド表現との対極にあって対話を迫るものが土器にはありました。縄文土器との出合いまでを岡本太郎の表現史の序章とすれば、縄文土器との出合いはまさに、その第一章をつくるものになりました。

序章の中心課題はアヴァンギャルド芸術の実験・実践でした。それは十年に及ぶパリ体験で見いだされ、刷り込まれ、岡本にとってわが道となりました。一九二九年、父・岡本一平（漫画家・時評家）、母・かの子（小説家）とともにフランスへ渡ります。翌年から一人でパリに住み、美術の研修・実作を進めていきます。以後、パリでの生活は十年に及びました。パリは当時、世界の美術界の中心で、キュビズム、未来派、即物主義、シュールレアリスムなど多様雑多な試行が随所に見られるアヴァンギャルドそのものの前衛都市でした。そこで岡本はピカソに衝撃を受け、以後、ピカソのような前衛を試み、ワシリー・カンディンスキーやピート・モンドリアン、ジャン・アルプら多彩な前衛表現者の集まりアブストラクシオン・クレアシオン協会に参加し、抽象絵画とシュールレアリスムも実体験します。抽象表現主義を不向きと感じ、クルト・セリグマンとともにネオ・コンクレティスム（新具体主義）も展開します。同時にパリ大学でマルセル・モースの文化人類学を受講、民族・民俗への関心を深めます。大学ではほかに美学と社会学も聴講し、絵画を離れて基礎学への興味も示し、ジョルジュ・バタイユ、ピエール・クロソウスキー、ロジェ・カイヨワが創設したコレージュ・ド・ソシオロジー（社会学研究会）に参加します。特に特異の思想家・作家バタイユに親炙したことは、神秘学や呪力、超人知的感性への興味など、大きな影響を落とすことになります。パリ時代の幅広い交流と研鑽は岡本の土台になりました。一九四〇年にナチス・ドイツのパリ侵攻を逃れてパリから帰国します。そして一九四二年には召集され出征します。

パリ時代のアヴァンギャルドを中核とする自分形成と表現実習、その土台の上に、戦後の混沌とした時期の日本でのアヴァンギャルド芸術の主導的活動となります。アヴァンギャルドを中核にしながらも、社会学や人類学・民俗学への関心も含め、敗戦後の日本では社会への視点も意識的に取り入れます。そこに絵画・建築・デザイン・音楽などを結集し、さらに民衆運動の気運も反映しての現代芸術研究所の創設になりました。ここに公と私、ファインアートとプラクティカルアート、自閉的表現と呼びかけあう表現など、対極の考え方も表出されました。こういう豊かな芸術実践のさなか、縄文土器との出合いがあったのです。

生命——縄文土器をつくりあげた火と土の力

縄文土器との出合いは、岡本に根底から変革を迫るものになりました。芸術の考え方、日本の伝統とされてきたこと、表現ということ、それら自明とされてきたことが揺らぎ、芸術も伝統も表現も、縄文土器という表現物を前にして、見直しが必須になったのです。岡本は縄文土器を正しく認識し把握しようと、東京国立博物館、明治大学考古学陳列館、東京大学人類学教室に通って写真を撮り続けます。燃え上がる炎のような造形、凝縮された縄文から噴出するフォルム、炎と炎が競い合い火炎そのものがフォルム化した造形など、撮っても撮っても縄文土器の本質は見えてこなかったのでしょう。縄文土器の何をどう撮ればいいのか、表現スタイルや材質感、形態や様式など、既成の表現観で撮っていては見えない、本質は撮れない、と気づいたにちがいありません。あらためて縄文土器は何を表現しているのか、と自身に問い直したとき出てきた答えが「生命」でした。縄文土器は造形表現を念頭にしてつくられたものではない、「生命」そのもの、人間が生きること、生命力そのものを表現しようとしているのだ、という気づきです。「生命」は感じ取ることはできても写真には容易に写し取れません。写真に撮れないもの、「生命」こそ、縄文土器の本質だったのです。生命とは何か。人それぞれ、生き物それぞれ、集落民みんなが、内部に抱えているエネルギーの「爆発」、それは、呪術力を込めた祈りの「爆発」です。燃え上がり炎となるものが生命、内なるものの燃焼が生命現象で、自分とは、生きるとは、呪力をもって爆発しつづける生命の持続そのものです。

ここに芸術・表現という従来の考え方との決別が起こります。芸術がとらえるべきものは「生命」であり、表現すべきことは「生命」にほかならないとする表現哲学への変転です。生命は炎のように揺らぎ続けるものです。とらえにくいもの＝生命をどうとらえるか、縄文人の感覚と思考が発現します。生活のなかでともにしている火、

これが表現の原初だ。岡本太郎『縄文人』（1982年、川崎市岡本太郎美術館蔵）
（出典：東京都美術館／ＮＨＫプロモーション編集『OKAMOTO TARO : A Retrospective――展覧会 岡本太郎』ＮＨＫ・ＮＨＫプロモーション、2022年、179ページ、図4－34）

土地に生き土をいじり泥をこねる日常の土台＝土・泥、そしてそれらに助けられそれらを守る人間、火と土（泥）と人間、三者が呪力を込め祈りを込めて協働して生成するもの、それが「生命」だ、土や泥をこね火で焼きカミに捧げる酒の器をつくる、きっとカミも呪力で応えてくれると信じて、つくるのです。火、土、人間の三者に加えてカミが協働することで、特に火炎の力を信じて出現したのが、縄文人がつくった器、祭祀器だったのです。「生命」は土器の形になって出現し、躍動し、爆発し、そしてともに祝い、飲食し、笑い、土器の上の炎のように、みんなで肩を組んで踊りへと誘いかけます。

岡本は表現すべきこと・ものはアヴァンギャルドによる知的冒険ではないと気づいたのです。人間の知恵や感性だけに頼る表現・アートとは内実も姿勢もまったく異にする生命が、みんなでともに問いかけ、表現し、語り合うに足りる作品対象になったのです。生命を忘れていたアート、芸術行為に対する自他への痛棒でした。それが縄文土器との出合いで、新しいアート観、表現哲学への開眼が出合いの成果でした。「生命」こそ表現の主テーマ、いのちだったのです。個、共同体、フォーク力、カミ、呪力、火、土、それらがつくる共同主観による協働が生命を生成し、生命が集約的表象として出現したのが縄文土器でした。表現の本道でした。生命は共同体を営むなかで練られ、競合しながらも成長していきます。芸術表現も人間存在も同じです。「生命」は表現スタイルを変えながらも、以後、岡本太郎の生涯のテーマになっていきます。

祭り——土地の生命を元気づけるフォークロア

縄文土器から日本文化の考え方、表現の姿勢の根本的変換の必要を痛感した岡本は、伝統文化の定説化した史観、中央の美意識主体の文化史・美術観、仏教中心の心性史などを再検討しようと、京都・奈良を中心に社寺や家元、行事などを見て回ります。パリで修業に励んでいたときに、俵屋宗達や尾形光琳の屏風絵を見て日本絵画の前衛性に驚いた岡本でしたが、敗戦後に目にする伝統文化はエネルギー不足で貧弱に映り、社会性や公共性を意識するようになっていた岡本には鼻持ちならない存在でした。古い文化や美意識・作法、行事を検証したあと、一九五〇年代後半から東北地方を皮切りに全国を旅します。目的は土地に生成されいまなお伝承されている行事や風俗、文物を実地に、土地との関わりで見ること、特にそれらの集合的表現である祭りに注目して全国を巡回します。縄文土器で土地の上に営まれる生命の表現をみた岡本は、伝統文化が土地とは離れてしまっている現状に鑑みて、それへの反抗・反証として現地巡りを志したのです。

初めて訪れた東北は、伝統文化や新しい文化発信地など中央文化地帯とは風土も空気もまったく違い新鮮でした。特に土地に生きる思い、土着の知恵、生存のための作法や風俗を込めた集約的表現が、各地の祭りや行事に色濃く見られました。岡本は祭りに生の祈りと根拠を感じ、文化や美の土台を鋭く読み取ります。たとえば秋田県男鹿半島のナマハゲ。年の変わり目、新旧の正月にカミが家々を訪れ祝福する行事です。男性が鬼のようなナマハゲ面をつけ、藁の蓑と脛巾（脚半）をつけ、藁沓を履き、手に木製の出刃包丁をもって、子どもや女性を脅し訓戒します。カミというより異人・怪物です。こんなカミが家々を、土地を、祝福して回り、土地の人もその来訪を待つのです。

青森県下北の恐山、そこでも岡本は驚きと発見の連続でした。周囲十キロのカルデラで、中心の宇曾利湖を囲んで八つの山が外輪山になっていて、岩間からガスが噴出しつづける、その景観はまるで賽の河原、地獄の山の様相です。そのため修験者にとって格好の道場とされ、また死者を迎える霊山とされてきました。特に夏参りは死者供養の祭りで、目が不自由なために感応力がありカミ・ホトケの声を聞くことができるイタコ（巫女）と呼ばれる女性の口伝えで、亡き人の話を聞きます。カミもホトケもイタコの呪力によって恐山の霊場に出現し、霊の物語をイタコを通して語るのです。霊山が生み出すフォークロアそのものです。

岩手県を中心に広く東北地方におこなわれる鹿獅子舞い（鹿踊り）は角をつけた獅子頭をかぶり、腹にくくりつけた太鼓や羯鼓を打ちながら、五頭、八頭、十二頭となって群れ踊りを繰り広げます。鹿や獅子の頭を元気よく振り立てて踊ることで土地を元気づけ、カミガミを喜ばせ、来臨するカミガミと競演するプリミティブな神事です。岡本はこれらにカミやホトケとの付き合い、祭りの原初型を見て取り、写真に数多く記録しました。エスノグラフィです。

全国を巡り土地・風土の営みを実見し、土地の力、フォークの力を知った岡本は、京都や東京など中央の忘れた文化・表現のあり方を思索し直し、共同知の集約として、人々と土地とカミとが合奏する土着の祭りに文化や表現の原型を見ようとします。各地の祭りとの出合いは土地の生命力の発見となり、プリミティブな土地・風土への親炙となりました。

祭りは土地と人々とカミの三者による創作です。カミの呪力・験力と土地の地力と人々の集合知・伝統力・祈願力、三者の協働制作です。創作に向かわせる力は、沈滞しがちな日常の刷新の願いで、共同体の内なるマグマの爆発です。祭りという表現も、芸術同様、共同体の「生命」の解放、爆発だったのです。祭りを支えるのは土地に根づくフォークロアで、またフォークロアが生命の大切さ、おもしろさに気づかせ、祭りを導きます。フォークロアなしに土地のカミも土地の営みの伝説も育たず、土地は痩せていきます。近代以降、神社と称するところに祭られる神は多くは神話の神、権力が祭り上げた人為的神です。それに対し、各地に根づくカミは人々が共同で育てた土着の土地ガミです。共同で守り育てた土地ガミに祈願し感謝するのが祭りのアーキタイプです。プリミティブな土俗的祭りからフォークソング、フォークダンスが生まれ、フォークロアとして語られ、土地の文物がフォークアートへと練られていきます。

祭りから年中行事へと整えられていくにつれ、共同体の時空間はなごやかになり、協働知も盛り上がっていきます。土地の物語や表現は共有財として記憶し後世に伝承しなければなりません。岡本はフォークロア、フォークアートの集約的表現としての祭りに土地の真率な表現を読み取り、それを記録し、自らの芸術観、表現論、文化史観の核心にしようと奮闘します。その成果の一端が『日本再発見』（新潮社、一九五八年）です。「語りつがれ、生きてきた伝承は民衆自身の肉体であり、夢であることはいうまでもない。民話自体から豊かに響きわたってくる」土着の声、民話フォークロア宣揚です。

風土――生命あふれる沖縄のフォークロア力

東北から全国へ、祭りとフォークロア探訪に続いては沖縄への関心です。沖縄での体験も大衝撃で、日本という国・文化そのものの再考を突き付けてきました。「沖縄の魅力にひきこまれ、私はほとんど一年近くもこの仕事にうち込んでしまった。それは私にとって、一つの恋のようなものだった」と岡本は述懐します。その成果を『忘れられた日本――沖縄文化論』（中央公論社、一九六一年）に著し世に問いかけます。

沖縄は空、海、サンゴ礁ヒルギ林、木々花々、家屋に、それぞれ原初の姿が揺らいでいます。それぞれに原初の力、アミニズムが漂っています。プリミティブな呪力を湛えた自然、それに和して営まれる集落、呪力に感応する巫女や神司、目にする風物すべてに呪力を感知できる風土、それが琉球・沖縄です。南の陽光も手伝って、東風・南風など自然そのものが語りかけ、呪力で人々や集落を力づけてくれます。その呪力を感得して集落や島に媒介するのが神司・巫女で、その場所が沖縄の聖所・御嶽《うたき》です。御嶽に入れるのは神司・巫女だけで、女性がそこにこもってカミの声、土地の声を聞き取るのです。岡本太郎は沖縄で最も大切な島とされる久高島に渡り、村人の案内で島の至聖所クボー御嶽に入って、異様な思いにとらわれます。そこは何もない場所で、そこを出て

空っぽの衝撃。岡本太郎『大御嶽／久高島』（1959年、川崎市岡本太郎美術館蔵）
（出典：前掲『OKAMOTO TARO : A Retrospective』72ページ、図3－4－54）

すぐ「じーんと身体にしみとおるもの」を感じます。

私を最も感動させたものは、意外にも、まったく何の実体も持っていない――といって差支えない、御嶽だった。御嶽――つまり神の降る聖所である。この神聖な地域は、礼拝所も建っていなければ、神体も偶像も何もない。森の中のちょっとした、何でもない空地、そこに、うっかりすると見過ごしてしまう粗末な小さな四角の切石が置いてあるだけ。その何にもないということの素晴らしさに私は驚嘆した。

（前掲『忘れられた日本』）

本土の神社の「いかつい鳥居、イラカがそびえ、コケオドカシ、安手に身構えた姿」に「やりきれないほど不潔で愚劣さ」を感じていた岡本に、空っぽの御嶽は清浄そのものでした。何もないところ「空っぽ」こそ、土地の純粋・純朴さ、プリミティブな原初性を体現しているところで、人や社会の欲望や打算で汚染されていない正直《せいちょく》・清潔さこそカミが願うものです。集落の奥、集落の中心軸の森のなかに設けられた空っぽの御嶽にカミは降臨し、こもって祈願する神司・巫女と交信します。カミ・人（神司・巫女）・土地（御嶽）、この三者によってカミとの交歓＝祭祀がおこなわれ、カミのお告げが、集落の共同願望へのカミの応答として集落に伝えられ、集落は励まされ、結束を強めていきます。御嶽の神事・祭事は簡素そのものですが、場所が空っぽであることと同様、簡素さこそ祭りのプリミティブの姿、原型だったのです。汚れない女性は自然にもカミにも開かれていて「空っぽ」です。御嶽も同様に「空っぽ」、神司を介して祭りに参加する人々も欲望や個の祈願をもたない「空っぽ」、集落そのものが祭事では利害を捨てて「空っぽ」になって、「空っぽ」の時空間でカミともども直会《なおらい》の飲食をします。カミと実直に向き合う祭りの原型に本土日本の忘れたものがよみがえってきます。祭りの本願は人々・集落・土地風土などすべてのものの生命の自覚とよみがえりです。岡本は、祭りの場、作法ともに、御嶽に原型を見、原型の気づきが日本文化の批判になり、フォークロアへの傾斜になっていきました。

沖縄は生命感あふれる風土です。それを演出するのが御嶽を中心とする「空っぽ」の聖所で、「空っぽ」は沖縄の人、集落に共通の心性です。つながりや縁を大切にし、もてなしを好むのも「空っぽ」に通じる純朴・正直さがあるからです。カミも風土も「空っぽ」だからこそ素直に降りてきて語りかけます。沖縄はフォークロアの風土です。どこにも語りがあり、語りながら生活世界を協働でつくりあげていきました。「ともにする」こと、祭りはその典型ですが、日常も生業も「ともに」することが島に生きる作法で、そこになごやかな生命も共同体も生成し、フォークロアも再生されつづけます。沖縄では自然と協働する風土そのものが「生命」のプロモーターであり、風土と生命を媒介するのが祭り、フォークロアだったのです。

太陽——大地と協働して生命を創造するもの

岡本が求めたフォークロアでは火や土が生命を表現しました。祭りに代表される爆発という方法で生命は内から外へと解放されていきました。もう一つさらに大きな生命の創造者、演出者があります。太陽です。岡本は「生命」という自分に課した最重要なテーマを大阪万国博覧会で世間を驚かせる作品として表現してみせます。

一九七〇年三月十四日、日本万国博覧会が大阪で開催されました。会場のメインお祭り広場に高さ七十メートルの太陽の塔が出現、全会期中の人気の中心になります。博覧会終了後、全パビリオンが撤去されましたが、塔

前衛とフォークロアの対話。岡本太郎『太陽の塔』（1970年、川崎市岡本太郎美術館蔵）
（出典：前掲『OKAMOTO TARO：A Retrospective』128ページ、図5－1）

は唯一残され、今日まで岡本太郎の代表作の一つとして、大阪と万博を記念するものとして公開されています。万博の統一テーマは、高度経済成長のさなからしく、「人類の進歩と調和」でした。開催の三年前、岡本はこの統一テーマを具現化するテーマ館のプロデューサーに指名され、以後、精力的に、世界を視察して巡りながら構想を練ります。進歩も調和も岡本が提案したものではなく、好む言葉でもありません。合理主義や効率主義に毒された経済進歩主義でなく、進歩にかわるもの、それは何か、やはり「生命」です。微生物から動・植物、人類まで、過去・現在・未来へと連なる生命こそ、地球の、人類のメインテーマだとして構想していきました。過去・現在・未来へと持続していく生命現象の全体像をとらえるには、人知を超えた知恵・呪力も取り込んだ三層構造の生命マンダラがふさわしいと、生命の塔＝太陽の塔を具体化していきました。

　生命の塔が立つ場所は、丹下健三をプロデューサーとする建築チームの「進歩」を表現する超合理的建築のなかです。水平に広がる屋根をもつ知的・合理的建造物に対抗するように、そのまんなかに屋根を突き破って生命の塔＝太陽の塔は造形されました。超現代の建築造形と拮抗して「太陽」という生命のもとを顔面で造形したのです。丹下は代表作・旧東京都庁舎の壁画を岡本に託すほど親しい関係にあったからこそ許したのでしょう。進歩と非進歩の対極・対決的表現になりました。屋根を突き抜けて昇る太陽は大空へ、世界へと生きる生命のシンボルです。屋根の上で太陽が生命をたたえれば、塔の内部では「生命の樹」という造形物で、微生物から現人類まで生命あるものを系統づけ生命マンダラとして位置づけていきます。「生命の樹」は進化論や進歩主義ではなく多様性の表象です。多様性こそが生命を持続させます。多様性をサポートするのが太陽で、太陽は生命のクリエーター、ディレクターです。岡本は太陽の塔で「生命の塔」を合わせ表現し、進歩概念に汚染される風潮に抗して、太陽や生命がもつプリミティブな力、人知を超える呪力・験力を強調します。生命の多様性こそが進歩にかわるテーマで、その表象に従来の表現作法は無力とみて、屋根を突き抜けて立つ生命＝太陽という荒業になったのです。岡本が主テーマ「生命」ひいては「多様性」のために重視してきた火や土、祭りや風土、フォークロアを結集し協働させて造立したのが太陽の塔で、内部に生命の樹を宿したその生命の塔でも、表現は合理的建造物を突き破るという抵抗と爆発になりました。

進歩と並ぶ調和というテーマにはどう対応したでしょうか。塔の地下展示室では、進歩に『ノン』（一九七〇年）という作品で対抗し、『マスク』（一九七〇年）という原始仮面を変形した造形群で、世界から収集した表現のアーキタイプともいうべき原住民がつくる仮面とあわせて、呪力という現代知が追放した思考・作法を強調してみせます。自説の対極主義の鮮烈な主張です。合理主義に対しては呪力で、進歩に対しては持続する太陽や生命現象で拮抗します。対極するもの同士がそのままに併存するその不安定さこそが存在の実態だ、とするのです。対極主義は調和という歩み寄りの姿勢を嫌い、存在そのものの併存をナチュラルとする思考・作法です。気に入らない統一テーマも対極主義で相対化し乗り越えてしまいます。

語りつがれるいのち。岡本太郎『生命の樹』（2017年、岡本太郎記念館蔵）（出典：前掲『OKAMOTO TARO：A Retrospective』132ページ、図5－2）

太陽があるところに多様性ある動・植物が生まれ育ち協働して、土地・風土をつくり共同体を育て上げます。多様なものが太陽と大地の間にあってそれぞれ存在を表現し話し合い協調するところに、動物も植物も参加するフォークロアが生まれ定着していきます。沖縄はその見本のような島でした。万博も太陽の塔が生命の力、多様性の不思議を語りかけ、新しい型のフォークロアを呼びかけます。進歩でなく多様性を、作為する調和でなく異なったものが対等に語り合う対極性を推進するならば、持続可能な世界をつくるための統一テーマ、多様性が再生し、多様性が語りかける新フォークロアの創出へと進展するでしょう。そこからフォークアートの新生も間近です。太陽の塔は未来へのメッセージでした。

公私世界――生活芸術とパブリックアート

太陽に生命を見、未来の生命を託した岡本太郎は制作を続ける間も、世界の実験地などを視察して回りました。メキシコのディエゴ・リベラ、ダビッド・シケイロスの壁画運動、それに導かれてメキシコ神話、遺跡に親しみ、生活と一体になったプリミティブアートを知ります。パブリックアートを実見して、表現は社会に向けて呼びかけるもの、メッセージ力をもつ必要があることを痛感します。人間関係の多様化、社会の重層化のなかでは、外へ、見えない人々や社会に問いかけ発信することが表現で、パブリックアートがこれからのアート力だと考えます。

パブリックアートへの傾斜とともに生活用具にも興味を示します。これまで使っていた食器、家具、衣服、道具について無頓着だったことの反省から、生活ファニチャーを楽しみながら試作しはじめます。身近な生活用具こそおもしろみが大切で、そのためにはあそびごころでつくるのが正攻法です。たとえば、実用本位の椅子に対し「座ることを拒否する椅子」をつくり、手招きする「手の椅子」も試作します。グラスの底から顔が見つめる「顔のグラス」など、あそびごころにあふれ、使用する人は破顔します。生活のアート化、アートによる生活世界の刷新です。生活のなかに生命感のあふれるあそびがない、それが現代の空虚さだ、つまり芸術が欠けている、というのが、岡本太郎の生活世界の現状批判で、それを変革するのがあそびごころある芸術でした。彼のこの信条が生活と生命とあそびと芸術表現の協働へと実践させていくのです。フォークアートの現代的新生で、ここに生活意識の変革と旧弊な芸術意識からの脱出口が見えてきます。これは、諸分野が集まって生活のなかで、社会のなかでの芸術表現のあり方を討議しようと発足した現代芸術研究所が目的とするところでもありました。また、茶道や花道など、中世末期の生活芸術、つまり、生活の芸能化とは一線を画すという意図もありました。生活の考え方、作法が変わることで芸術表現も変容します。身近なところから、あそびごころと芸術が生活を変え、社会を変え、生命を変えていくのです。民芸の「用の美」に対する「あそびの美」「いのちの美」の試みです。

未来へのメッセージ。岡本太郎『こどもの樹』(1985年、川崎市岡本太郎美術館蔵)
(出典：前掲『OKAMOTOTARO：A Retrospective』28ページ、図4－35)

　実用性を超えることで、日常も生活も異化されます。日常や常識を手玉に取っているうちに、あそびごころがモノにも使用者にも共有され、あそびごころによる生命の浄化も起こります。生活世界がそんな試みで揺らげば、あそびごころに彩られた新しいフォークロアが芽生え、新フォークアートが願われ試作されていきます。

　生活世界が生命を楽しませながら変われば、生活世界の舞台の変革も必須です。パブリックアートは社会への呼びかけ・話しかけです。話しかけはフォークロアの特技です。公共の場で、協働知を集め、わいわいと話し合うのがフォークロアのベースで、新時代のフォークロアが新パブリック意識と共同体作業のなかで育ち、それがパブリックアートとなって外へと問いかけていきます。岡本の生活アートはあそびごころが主導しましたが、パブリックアートには丹下健三設計の旧都庁舎の壁画、第五福竜丸事件を取材した『死の灰』（一九五六年）、原爆の炸裂した瞬間を描く大壁画『明日の神話』（一九六八—六九年）など、公共や体制に真剣に挑戦する力作群と、あそびごころによる公共空間の異化の試みもあります。都市上空を泳ぐ「鯉のぼり」「飛行船」、公園に置かれる「縄文人」「犬の植木鉢」など多彩で、笑いを誘い空間をなごませます。真摯な問いかけとあそびごころによる語りかけ、パブリックアートはこの二面から社会の硬軟両方に話しかけ語らいを誘導します。社会とともに考え、公共のなかでもまれて成熟していくのがフォークロア、フォークアートであり、パブリックアートそのものです。

火と土、祭りとカミガミ、風土と住民、太陽、空、海……それらが協働して生成するものが生命です。生命は岡本太郎が創出した統一テーマであり、生涯問い続け表現を試み続けた課題です。対極さえもすっぽり抱擁する多様性こそ生命であり、「生命の樹」は過去・現在・未来へと語りかける三世にわたるフォークロアです。そこに生命賛歌が生成してくれれば、それがすなわちフォークソング、フォークダンス、フォークアートへと成長していくことでしょう。

「生命の樹」の上に再び太陽が昇り輝きます。愛嬌ある作品『若い太陽の塔』（一九六九年）、『若い夢』（一九七四年）、『こどもの樹』（一九八五年）など、新フォークアートは未来を見つめるパブリックアートです。未来でも太陽と生命は主役です。

［ワークショップ課題］

①縄文土器の迫力を絵画で表現してみよう。表現の原点を考える試みです。

②「太陽」そのものを絵画化、造形化してみよう。

③社会へのメッセージ、風刺を、絵画や壁画、落書きにして叩きつけよう。覚醒したアートです。

第4章

生活世界を挑発し異化する

——赤瀬川原平らのあそびごころ

一九四五年から六〇年まで、表現者の姿勢

戦後日本の歩みのなかで、一九六〇年代は政治・経済をはじめ、文化界に、社会状況に、人々の日常感覚や価値観に際立って大きな動きをみせた時期です。本章は歴史を語る場ではないので時代の雰囲気を伝えましょう。五九年には、それまで積み重ねられた反安保闘争の熱気が爆発、知識人、学生に加えて、サラリーマンや市民も一緒になって闘争、統一行動に参加し、東京から各地へと広がりました。結果、アメリカに依存・追従する岸信介内閣は退陣に追いやられました。市民運動の力を市民たちが実感し、市民という言葉は六〇年代以降、一般人の自称となり、市民力はかつての民衆力に取って代わるものになりました。市民力はフォーク力になったのです。

敗戦後の日本は、元気があり行動的・冒険的でした。敗戦で、帝国主義国家観から歴史観、価値観、美意識までが追放され、小学生の歴史教科書に「たみ（民）のあゆ（歩）み」というタイトルがつけられるように、「民」を重視するようになったのです。「たみのあゆみ」は「民の力」顕彰で、批判力はもちろんやじ馬根性まで取り上げられていた民、庶民こそ、これからの社会、時代の主役でなければならないとする願いの投影でした。

美術界でも敗戦後しばらくは民、民衆への関心が強くはたらいていました。たとえば敗戦の翌々年の一九四七年、丸木位里、山下菊二らによって結成された前衛美術会の意図は「勤労大衆の文化的意欲を基調とする美術の創造」でした。社会主義とマルクス主義が各界の指導イデオロギーとされた時期らしく、労働者＝民とし、その力による美術革新を願うものでした。

京都で一九四八年に結成されたパンリアル美術協会は「吾々は従来の絵画芸術に凡ゆる角度から総合的批判を加え、常に社会生活の生成発展との深い関連の自覚の上に立ち、その生活感情の激しい内燃から、科学的実験的方法によって、絵画におけるリアリティを徹底的に追求しよう」と宣言します。日本画壇中心とは思えない社会性、生活感覚、冒険精神です。大阪で五一年に第一回展を開いたデモクラート美術家協会は、「ぼくたちは生活の実感を土台にして、腹のたしになる芸術を築きあげねば」と考えて出発し、実践しました。実践工房の第一回バレエ祭典では「生きる悦び」と題した公演が開催されましたし、ファインアート系の集団でも「生」はキーワードでした。

一人ではなく仲間やグループによる共闘も、戦後のデモ活動による民意表現と地続きのものです。表現者は現実に向き合い、自ら参入し、民の立場や心情を背にし、自分とグループの意図を表明し創作を訴えなければならないという誠実な姿勢が復興期の基調心情でした。こういう動向のなかに一九五六年、芦屋で機関誌「具体」が創刊されました。主宰者の吉原治良は、「具体美術は物質に生命を与えるものだ。物質が物質のままで、その物質を露呈したとき物語りをはじめ、絶叫さえする」（「具体」創刊号、一九五五年、「芸術新潮」一九五六年十二月号、新潮社）と「具体美術宣言」をします。そして吉原、元永定正、白髪一雄、田中敦子らが前衛的作品を野外や屋内に展示します。具体美術協会の大胆な活動は、それまでの生活や現実への歩み寄りを超えて、かわって前衛へとアート界を傾斜させていきます。身構えた「民」への歩み寄りからグループの前衛競争へと変わり、五〇年代後半から全国に前衛を前面に掲げるグループが続々と誕生しました。五五年、「もはや戦後ではない」というフレーズが政治・経済界から他分野へと流行しました。実態を把握していないかけ声だったのに、保守体制はこの流行語をテコに、批判を浴び国民的反対運動まで起こった安保体制から所得倍増政策へと重点を切り替え、体制を補強し正統化しようとします。そういう風潮のなかで、美術界も生まじめな戦後体制から自分を解放するかのように戦後の型苦しさを希薄化していき、アヴァンギャルドという言葉をまとって自分やグループを装っていきます。前衛は、どのようにも解釈できる珍重なキーワードでした（戦後の美術界の略史は、美術手帖編集部編「特集 日本の現代美術三〇年」「美術手帖」一九七八年七月増刊号、美術出版社）。

赤瀬川の美術界参入とそのスタイル

ここまで、敗戦から一九六〇年代初めまでを長々と語りました。この風潮のなかで、赤瀬川原平は目覚め、芸術活動を始めます。赤瀬川の以後の表現とパフォーマンスは政治社会や芸術界の動向に触発され意識化されたものです。赤瀬川は一九六〇年、吉村益信、篠原有司男、荒川修作らと「ネオ・ダダイズム・オルガナイザーズ」結成。「真摯な芸術作品をふみつぶしてゆく二十・六世紀の真赤にのぼせあがった地球に登場して我々が虐殺をまぬがれる唯一の手段は殺戮者にまわることだ」（「特集 超芸術家 赤瀬川原平の全宇宙」「芸術新潮」二〇一五年二月号、新潮社。以下、赤瀬川の歩みはこの特集号により、引用もそれによる）。これをスローガンに、オブジェ表現に、パーティーに、らんちきぶりを発揮します。「真赤にのぼせあがった地球」とは反安保闘争にみる左翼思想、市民運動を指し、自分たちはそこから脱出した仲間だとするのです。彼らにオブジェ作品が多いのは、政治色を排した「具体美術」への関心からでしょう。状況に立ち向かうのでなく、やじ馬根性でちゃかすことをよしとする仲間、彼らをオルガナイズ（組織する）すること、オルガナイザーズ（組織を結成させる活動家）は個でなく、仲間で外部と向き合うのです。民俗的な「民」や左翼思想がいう「民衆」には関心がなく、オルガナイズされた仲間としての表現や行動を自ら肯定し、ネオ・ダダイズムと宣揚するのです。芸術的行為とはとかく独り善がりなものですが、この仲間たちも真っ赤にのぼせあがった思想に対抗するため自らものぼせあがってこの地球を殺戮しようとするのです。自作自演、仲間内の即興芝居の感じもつきまといます。運動とはうさんくさいものです。外に開かれない仲間たちで徒党を組んで、世の関心を引くためにらんちき騒ぎやパフォーマンスをします。労働運動の用語であるオルガナイザーズを借用するのも悪ふざけぎみで、現実への批判姿勢はこの仲間に貧弱でした。赤瀬川はやじ馬性を身上とするところがあり、仲間との運動の気分を楽しみます。

仲間との連帯は続きます。一九六三年、高松次郎、中西夏之との三人で「ハイ（高）レッド（赤）・センター（中）」グループ結成、ここでも紐や梱包や洗濯バサミなどオブジェが表現の中心です。自分たちに日常性の乏しいことを自覚していて、民や民衆のためと称して彼らとともにする表現は不得手で、そのかわりにありふれた日常に見られるモノ、日常の常識を反転し、日常性や具体物、日常の営みをちゃかしてみせます。社会を成り立たせている約束ごとや行為、作法を揶揄し、世間に自分たちの存在を開こうとするのです。そこには表現の幼児性もあります。たとえば、磨く必要もない東京銀座の舗道をグループ仲間で丹念に雑巾がけします。清掃を介入させることで銀座を異化し、雑巾がけという家事作務を都心で実践することで日常行為を異化しようとしたのでしょう。しかし見方をかえれば、これこそ独り善がりで、日常を大事に生きざるをえない女性や弱者、あるいは「一灯園」（公衆便所の清掃をする修行団体）の志などを踏みにじる心ないパフォーマンスで、表現者の精神のありかが問われるものでもありました。日常性の異化、日常の常識や作法の反転は表現上の大切なテーマです。しかしこのグループの表現は社会への警告とも告発ともならず、日常性の再考へと誘うものとはとてもいえないものでした。仲間グループの運動は往々にしてマスターベーション化します。

日常性の反転の試みが不毛だったことで、ようやく社会の日常的なもの、世を動かす常識そのものに気づきます。衣服や日用雑器、日常行為をやじるのではなく、社会や日常を動かしているもとにあるもの、日常と生を操作する価値観のおもとをやじの対象とすればおもしろいのではないかと、例によっての思いつきの発想に引っかかってきたのが、千円札でした。千円札という紙に人はいかに翻弄されていることか、千円札は礼拝の対象です（現在の価値観では一万円札か）。民衆の関心から離れないモノ、千円札を礼拝の対象としてでなく、宣伝チラシにし、無造作にまとめて梱包して、通常の意味を下落させるというやじ馬根性による発想、いたずら心からの制作でした。

赤瀬川には人なつっこい庶民性があり、構えることや、自己主張を嫌うシャイなところがあります。たとえば、たわいないものやことを喜ぶのも庶民性です。かつて、庶民（常民）がフォークロアを生み育てましたが、しかし赤瀬川は庶民の立場からではなく、あくまで仲間とともに庶民を見ては、その日常生態をちゃかしてきました。庶民性は表現上ではプラスにはたらかず、千円札の模造も軽いあそびごころからおこないました。それが事件になることで、ようやく自分の表現がどういう社会的意味をもつかを知らされたというのが実状でしょう。

一九六三年、個展の案内状として、表に実物大の千円札の一色刷り、裏に「あいまいな海について」の新宿第一画廊の案内を刷って郵送しました。同年、読売アンデパンダン展に千円札の拡大模写を発表し、千円札を梱包作品に貼り付けるなど、増殖性と普遍性に引かれ、千円札はしばらく赤瀬川の関心となります。しかし、こうした活動は行政の目に留まり、六五年、通貨及証券模造取締法違反容疑で起訴されました。意見陳述で「模型は本物に視覚的に似ていると同時に又、本物そっくりであってはならないのです。そしてその様に模型である為には、ニセ物の様に生活の中で使用され得ると言う様な機能を剝奪する必要があります」と自作を明晰に分析してみせます。軽い動機で公表した千円札作品でしたが、起訴をきっかけに作品について自ら問いつめ、裁判支援者たちの知見に学び、模型という概念をもって裁判を闘います。特別弁護・瀧口修造、中原佑介、証人は澁澤龍彦以下錚々たる十八人で、芸術とは何か、表現とはどういう行為か、貨幣の機能は何か、根本的なことが陳述され、討論されました。裁判が続くなか、赤瀬川は他分野の人や知識人と心底から語り合い、多くを学びました。独り善がりの考え、内輪受け狙いのパフォーマンスからようやく目を覚まし、社会にあって、現実に目を向けて、日常性と正面から向き合っての自己検証です。二十世紀初頭にヴァルター・ベンヤミンは「資本主義はお金を神としてあがめる礼拝宗教、拝金主義だ」（ヴァルター・ベンヤミン『暴力批判論 他十篇』野村修編訳〔「ベンヤミンの仕事」1、岩波文庫〕、岩波書店、一九九四年）とすでに喝破しました。赤瀬川は弁護者や支援者の考えに触発されて

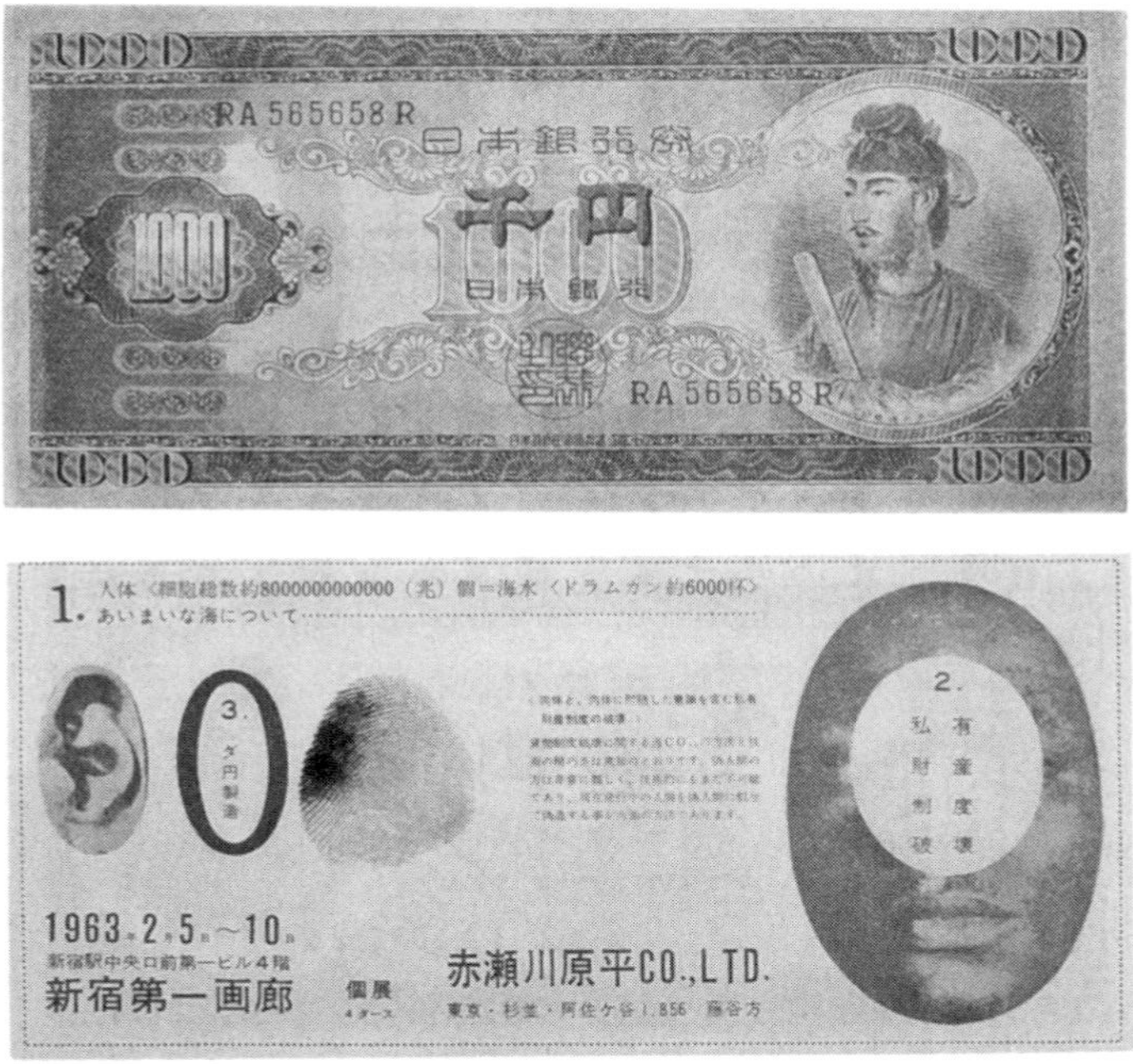

あそびごころがアートを変革する。赤瀬川原平『個展案内と千円札』（1963年）
（出典：「追悼大特集 赤瀬川原平の全宇宙」「芸術新潮」2015年2月号、新潮社、52ページ）

覚醒し、千円札を通して社会の常識を見直し、自分がとるべき姿勢を練り上げていきます。現実に向き合い、作品も同様に社会に向けて広く問うことが、表現者の誠実さであることをあらためて確認します。上告も却下され有罪が確定しますが、長い裁判期間での学習によって、「正しいおこないのおもしろさ」を感じ取ることもできました。

千円札裁判では、仲間内の討論でない真剣そのものの多方面からの思索に励まされ、仲間内で完結してしまうような思考と行動から距離をおくようになりました。外部との交流・闘いのなかに自分をさらし、作品も投げ込まなければならない、という焦りに似た思いです。裁判過程で、ジャーナリズムの力がいかに大きいか、紙幣と同様、社会にあって増殖性と汎用性を有する新聞・雑誌など印刷媒体への関心を高め、それらに接近していきます。紙幣が印刷物で社会にまかり通るなら、印刷物で社会・現実に介入しようという、千円札事件からの揺り戻しのような誘いかけでした。ジャーナリズムに乗る・乗せる、それによって自分を外に開き外在化していくこと、印刷物を通してあらためて自分づくりを試みようとします。

自分の売り込みから再び日常性へ

ジャーナリズムや印刷物の力に気づき取り組んだのが革命的燐寸主義者同盟とか革命的珍本主義者同盟、娑婆留闘社の結成です。これまでの仲間との結社ではなく、目に留まった日常のもの・ことを大げさに、当時フランス五月革命にならうように大学に広まっていた学園闘争にのめり込む革命志向の学生たちの言動をちゃかし逆なでするような発想・言行です。「ベトナムに平和を」のベ平連をもじったマッチラベルのコレクションあそび、宮武外骨という在野で活躍した新聞・雑誌発行者のやじ馬的批評家の本の収集、獄中学生へのメッセージとするドイツ語ゲバルト（闘い）をもじった擬似結社、どれも同時代のはやり言葉、革命やゲバルトの尻馬に乗っての命名です。これは赤瀬川自身の革命思想にも深入りできず運動にも参入できず、かといって無視もできない姿勢、中途半端さからくるものでしょう。しかし、印刷物を通じて外に発信しつづけることのおもしろさ、反響の大きさを知ったことで、仲間との前衛芸術共闘を超えて、私雑誌「櫻画報」に、公雑誌や新聞に、時流にあやかったやじ馬記事を書き続けます。文章の力、印刷物の普及力を利用しての新しい自分解放でした。自分のやじ馬根性やシャイな気性、出たがりなのに引っ込み思案、正体を現しながら隠すスタイル、それらを生かしてくれるのが印刷媒体で、編集者と仲良くし、ともに紙面と誌面をつくり、誌上の歩き回りが佳境を迎え評判を呼ぶようになって、書くという行為に新しい面が生まれてきます。小説書きです。

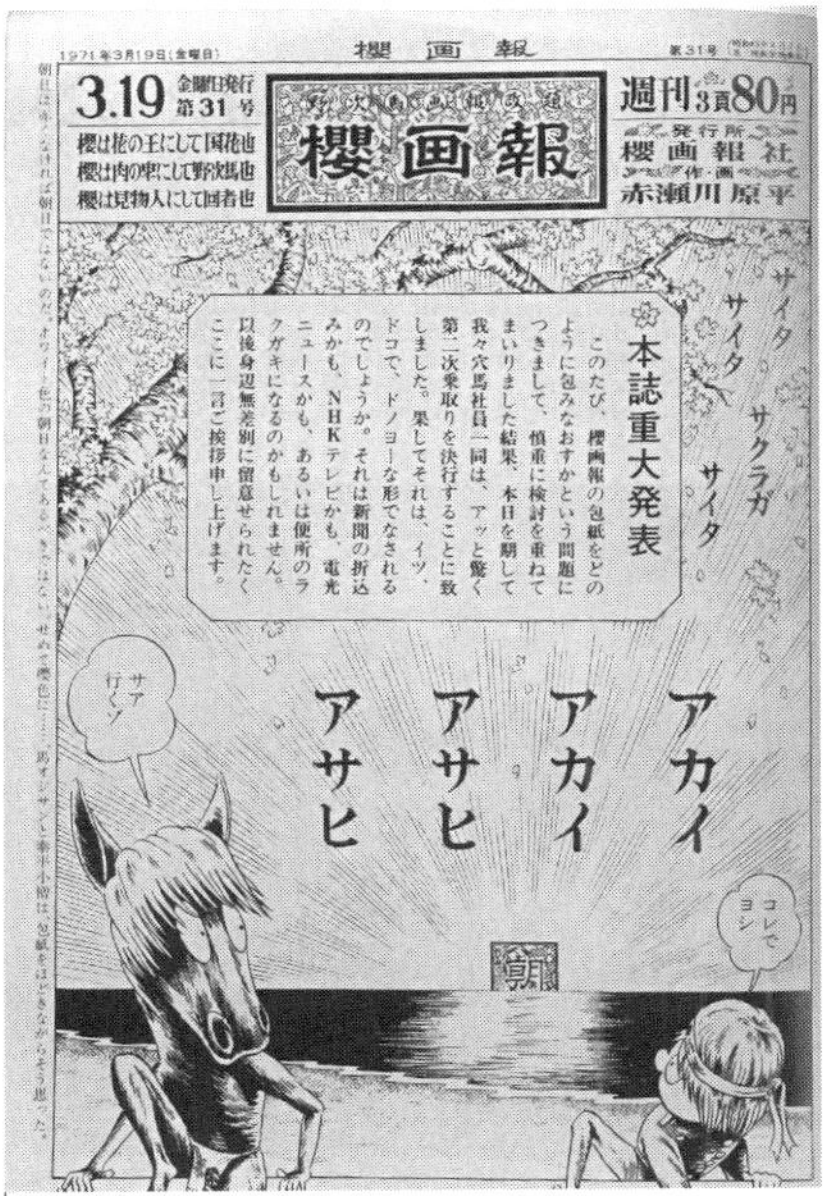

自作メディアのあそび。赤瀬川原平『櫻画報』（1971年）
（出典：前掲「芸術新潮」2015年2月号、23ページ）

現実と前衛の競演。赤瀬川原平『押収品・模型千円札Ⅲ梱包作品（かばん）』（1963年）
（出典：前掲「芸術新潮」2015年2月号、53ページ）

赤瀬川は、小説を書くという自分表現行為にあそびごころで向き合います。新聞・雑誌に発表するエッセーや批評は自分の思いつきのテーマであっても編集者や仲間のおだてや励ましなどをバネに、比喩やダジャレでカムフラージュした表現です。自分表現でありながら仲間や取り巻きたちの影もつきまとうスタイルです。文章表現が多様になるにつれ、他人の影がちらつかないような自分を描いてみたいというあそびごころがきざします。自分のなかに揺らぐ思いや感傷を揺らぎのままに表現する私小説の出現です。「闇のヘルペス」（一九八〇年）、「父が消えた」（一九八一年）など、自分をあれこれの面から眺めながら小説化していく日常物語です。小説以外の表現でも使われてきた自分と真正面から向き合うことを避ける手法が、これらにも生かされ、赤瀬川の絶妙の自画像づくりとなりました。

そのため赤瀬川でありながら別人・尾辻克彦という名で発表します。ここには印刷物、つくりものの小説という間接的媒体に助けられて、いかにも真実めいた、しかも不安定な自分の追求と確認がありました。しかしもう一人の自分＝尾辻克彦を造形し確認してみると、自分の内面を自分で逆なでするようで恥ずかしくなってしまい、またしても自他の中間へ、外へ、仲間へと出向くようになります。赤瀬川の一つの看板、路上観察学会への出発です。日常の周縁を、民衆の関心の動きを、体制の主流から離れた亜流をのぞき見ること、フォーク的発想を身上としていた赤瀬川は自分＝尾辻への閉じこもりと同時に、それらの関心に向かいます。仲間との街歩きです。

仲間や取り巻きはいつも赤瀬川の支えでした。

街歩きで四谷の奇妙な階段を発見、左右の階段を上っても踊り場に面するはずの入り口の扉はありません。実用性・日常性がないモノ、ナンセンスなものが、何でも意味づけし意味がないものの存在を認めない現実社会にまだ残っている、という発見です。一九八一年に鳴り物入りで入団、しかしめぼしい成績を残さなかったプロ野球・巨人軍の四番打者ゲーリー・トマソンが連想され、そこから超然とした存在となっているモノを「超芸術トマソン」と命名。意味を求めがちな芸術への揶揄も含み、芸術という表現に携わる自分・仲間をもトマソン現象に巻き込もうとする魂胆も見えます。裏面に潜めた批判、やじ馬的比喩を照れ隠しでごまかすように、単なる街歩きをものものしく路上観察学会と名づけたのは、アカデミック学会を模して客観的観察を装うためです。路上観察学会の活動は、銀座の清掃とも通じるパフォーマンスで、赤瀬川らのパフォーマンスには稚気、子どもレベルのあそび感覚が味つけをしています。フォークのちゃめっ気です。

街を歩き、意味も判然とせず名もないモノを見つけては「坪庭」「輪廻転生永久運動」「愛の狛犬」「セメントーフ」などと名づけ分類します。命名することでモノが意味を帯び存在が現れることになります。評価が決まらない作品に評価の手助けをするサインとタイ

路上には奇妙なアートもある。赤瀬川原平『トマソン黙示録 No.1 真空の踊り場・四谷階段』(1988年)
(出典：前掲「芸術新潮」2015年2月号、25ページ)

トルを付すこと、学会でのもったいぶった発表などと通じ合わそうとするいたずらっ気です。路上観察学会と銘打って街を歩くという日常的でありながら非日常的行動は、日常を混ぜっ返す日陰の行為でもあり、街なかの落書きと同質のものです。落書きが自ら描き楽しむのに対し、観察は発見し命名し意味づけて楽しみます。落書きの辛辣さはなく、命名あそびのスナップショットに終始します。これもわいわいとはやしたてる軽薄なフォークロア的発想でしょう。庶民がもつ渋みはなく、通俗的なセンス自慢の知恵を披歴するのが作品発表で、路上での発見がイコール作品になったのです。「私」の小説を書き私に驚きながらも、日常性への親近性は赤瀬川と仲間に間欠泉のように湧き、落書きに至らないまでも、外に向かってやじを飛ばすことは習性でした。一人だけの行為からまたしても仲間との同行です。赤瀬川は個にして仲間あって存在し、仲間あって個たりえたのです。庶民・民衆が集落や共同体内での個であり、同時にみんなと同じというあり方と遠く呼応するところもあります。

街を歩く場所的観察と並行して、歴史を歩く時間的観察もおこないます。これも赤瀬川の発案でなく誘われての参加、そして同調、盛り上げです。「日本美術応援団」という山下裕二との連続対談です。縄文土器をはじめ気になる名作・逸品を、野球用語など異分野や通俗的用語で比喩し、自ら悦に入って評定し応援します。路上観察も取り込み、東京ドームやゴミ処理場など実用の建造物や施設なども対象とします。対象作品の客観的観察でなく、自らおもしろがり相手をおもしろがらせ、そして印刷を通して評判を得ればいいのです。美術史の解読ではなく、あくまで外野からの声、やじ馬の応援です。専門家ぶりはご法度です。自前の解釈が意外な比喩で緩和され、語られる対象作品そのものについてよりも比喩で目先を変え、対象を異化することをあそびます。千利休や茶の湯を語っても同じ手法を使います。

赤瀬川は仲間、取り巻きの編集者や同調者とグループをつくり、彼らとともにあっての個として、表現にあそんできました。初期の芸術実験に挑む仲間、裁判で共闘した人たちのほかは、仲間になるのはおしなべて世俗的レベルの研究者、同調者でした。集まっては心身であそび騒ぎ、融和のなかから集団や仲間が醸し出す味を見いだし、自らもそれに同化はしないが和してゆく、それがほぼ生涯を通じての生のスタンス、表現発表スタイルでした。古く村々に「宮座」があり、連句や謡いなど同好の仲間の寄り合う「座《ざ》」が村の文化や習俗をつくったように、赤瀬川が願ったのはそういう柔らかなつながり、「座」であり、それがつくりだす作品、文化だったような気がします。仲間を大切にしあう「座」の現代への再生・新生が、よきサポーター、同調者があれば実現したかもしれません。赤瀬川はフォークロア的なものに近づきながら、フォークアートめいたものを発見し実作しながらも、それを意識化することなく終わりました。六〇年代の過激を体験した前衛的アーティストにフォークアートという言葉は遠く、根っこにはそれに共鳴するものをもちながら、フォーク力を知りながら、その脇を通りすぎていった、というのがその生涯と作品だった、という感じです。

赤瀬川原平とフォークアート

文学、美術、工芸、音楽、演劇、マンガ、アニメなど、表現する者はこの現実や社会のなかで、それらを意識したり無視したりしながら、現実や社会に向けて表現します。表現者の現実への対処のしかたは多様ですが、大きく四つに分けられます。四つの型は表現者によって使い分けられることもあり、ミックスされることもあり、社会や時代の動勢に応じて表現者のなかで変化することもあります。

一は、現実を直視し主体的に現実に向き合い、ホットな精神でヒートもする直接型・参加型です。一九六八年をピークとする学生運動や市民運動の気運に乗って共闘した表現者たちです。小田実や大江健三郎、中上健次や村上龍、森崎和江、別役実、寺山修司、唐十郎、土門拳、東松照明、中平卓馬、森山大道ら、社会参加をスローガンとする表現者たちが社会を活気づけました。

二は、現実から逃避するタイプで、現実に目を向けず、積極的関心をもたず、自分の枠を大事にしてそこに閉じこもる逃避型・オタク型です。古くは内田百閒、稲垣足穂、熊谷守一があり、近年では私事に自閉する私小説家、同人誌や特殊なジャンルで創作するマンガ家などで、自分の表面化を願いながらも私世界に自閉するタイプです。

三は、現実から逃げず、かといって熱くなって向き合い参加することもなく、距離をおいて批判的に見、対処するタイプで、一のヒートする直接型・参加型に対し間接型・クール型です。主体的に現実に対し、分析し、自分の立ち位置を決め、批判、共鳴、やじ、風刺など自己流の表現で自他を説得し慰撫しようとする型で、知識人型、擬似知的型、メディア共存型も入ります。社会の安定化沈滞化につれてこの型が主流になり、表現の質も人間の質も上下、高低、ピンからキリまでさまざまで、現代の表現界の縮図ともなっています。

四は、現実を無視しないけれど、自分の好みや尺度で見、自己流に表現しようとする型、現実を我流でとらえておもしろがってみたり、うがってみたり、変形してみたり、現実とゲーム感覚で向き合い自他を楽しませる遊戯型・遊興型です。やじ馬根性もあり、現実や自分への関心は強く、マイペースのあそびごころが持ち味です。古くはこのタイプに逸材、奇才が生まれ、逸品・珍作もつくられました。近年ではこのタイプとその亜流が気楽さも手伝って各界にたむろしています。残念ながら表現に毒気も刺激も乏しく、ハッとさせる痛烈なものはまれになりました。あそびごころではなく、表現あそびで、あそびが表現になっているのです。表現者はいまは四つの型どれも生気なく、表現世界はマンネリどころか腐敗しゴミ処理場化しつつあります。

では、赤瀬川はどう現実に、社会に対してきたか。初期は一の直接型に引かれるところがありました。千円札事件は四の型で、軽い姿勢で始まり、裁判を闘うなかで支援者たちに導かれて一と三の型を統合する方向をめざしました。しかし好んだのは一貫して四の遊戯・遊興型でした。赤瀬川の本性は、それを支えるのが得意技だったあそびごころでした。いろいろ装いは工夫しますが、対象との間に距離をとり、「間」、あそびを入れる間接性にあり、それが生のスタンス、現実に向き合う武装になりました。卑近な姿勢からその一端がうかがえます。

まず日常性、通俗性です。仲間や取り巻き連中との間はもちろん、表現でも高く構えることなく日常性をまとい、通俗的な笑いや楽しみを好みました。それは自己韜晦というかくれんぼあそびに通じる心性です。もったいぶった「学会」とか「講座」などという名称は、その裏返しの韜晦表現でした。日常性は庶民性と連動します。

日常が型どおりと同時に小さな変化を求め続けるように、庶民も気ままで、定見・定説などうっとうしいものに縛られず、自在に見方や考え方を変えて世に処しています。健全なフォーク力は気軽な気まま、自在さにあり、変化を好みながら、足を地につける作法にあります。下世話好き、やじ馬根性は健全な庶民には得手の武器でした。赤瀬川のやじ馬性、下世話による比喩など、仲間との雑談や騒ぎも含め、庶民らしい武装でした。

日常性、庶民性が向かうのは生活世界です。そこはオツにすました景観でなく、庶民が仲間とつくる生活景です。生活世界がアート表現の場になり、共感を求めるのも仲間や生活者たちです。初期は芸術美術界にとらわれていましたが、裁判以降、本来の庶民性に返り、生活景ある生活世界を生の場、表現や発見のグラウンドとしてきました。健全な庶民は土地の景を守り育て、座や仲間あそびを楽しみました。同様に赤瀬川は現代の他人行儀な都市空間のなかで、仲間との座、連帯あそびを実現しようとしたのです。生活世界のなかから生活の現象・事象をベースに生成してくるものが生活芸術です。ただし赤瀬川らの仲間の場は、座の庶民性、生活感覚、フォーク力とは異質で、土地への思い入れはなく、生活世界を排斥する虚像のメディア世界をグラウンドにしていました。そこでの評価は美や驚き、発見ではなく、名前や評判、噂でした。流行現象やメディア病に侵された日常性、庶民性です。あそびごころで真剣に芸術を問いながら、芸術離れしていき、生活世界のなかに芸術を見いだす、生活芸術の正統な方向をめざしながら、社会に積もる病弊のせいもあって、発展も深化も見ないで終わりました。千利休に共鳴したのも利休による生活の芸術化、芸術行為の生活化にあったのです。

フォークロア、フォークアートに接近しながら、生活世界にあそびながら、それに安住できず、ファインアートの空間を揺らぎ続けたのが赤瀬川でした。不確定で正体を見せないポーズは持ち味で、それがプラスにはたらけば生活の異化、芸術の相対化になりました。比喩やパロディーなど赤瀬川の表現武器は当人そのものの武装でもありました。構えることを嫌うシャイ性、直接的主張を嫌うポーズ、定説嫌いで仲間のなかで自己を表現する自己韜晦好み、正面からでなく斜に見て考える姿勢など、正攻法を照れるスタンスをとります。そこにやじ馬性が定着していきます。しかし比喩ややじでさえ極端や過激にはしることなく、笑いを誘うだけのたわいないものになりがちでした。中間性、中庸性は赤瀬川の武装です。それはまた庶民の生作法、フォーク、フォークロアの確かな力でした。フォークロアの力を感じながらも近づこうとせず、この点でも中途半端でした。赤瀬川に、昔の京童のような「言葉戦さ」の技術があればと惜しまれます。

言葉戦さの好例を次に挙げてこの章を結びます。

一三三四年、京都に公表された「二条河原落書」はやじ馬による世相批判・告発として、その過激さ、的確さ、表現の妙など秀逸です。落書《らくしょ》の見本です。それをつくったのは「口さがない京童」と呼ばれる知識人・庶民でした。「口さがない」とは過激力、風刺力、表現力、やじ馬力、洞察力、それらを統括する軽妙な知力です。メディア依存症の現代は京童のような健全な庶民性を発揮するのがむずかしい時世です。だからこそ自立するフォークカが求められるのです。そして、あらためて赤瀬川の生き方、表現作法からフォークロア、フォークアートの現代的あり方を問い直してみたいものです。関心がある方はぜひ「二条河原落書」を読んでみてください（笠松宏至／佐藤進一／百瀬今朝雄『中世政治社会思想』下〔「日本思想大系」第二十二巻〕所収、岩波書店、一九八一年）。

［ワークショップ課題］

①「超芸術トマソン」に対抗して、ナンセンス絵画に挑戦してみよう。ナンセンスはアートの究極かも。

②路上を観察するのでなく、街や路上にバンクシーのように痛烈な作品を残そう。落書き絵画の試み。

③身辺の生活景、社会の問題点など、生活世界のなかにアートを見つけ、生活画を創出しよう。

第5章 自然・風土と共生するフォークアート

――平良敏子のローカルカラー世界

芭蕉布の再生に向かって

今時こんな美しい布はめったにないのです。いつ見てもこの布ばかりは本物です。

（柳宗悦「芭蕉布物語」、前掲「柳宗悦全集」第十五巻）

今沖縄で出来るすべての織物の中で、一番乱れていないのは芭蕉布である。（略）なぜ芭蕉布ばかりが、飛びぬけて正しい仕事をするのか。其の一つの大きな理由は、糸が今も手業に待たねばならないからによる。

（柳宗悦「編集後記」、同書）

柳宗悦の芭蕉布に接しての感想です。第2章「フォークアートの発掘と創造――柳宗悦の美革新」でみたように、一九三八年の暮れからの第一回、三九年の第二、三回、四〇年の第四回と、とりつかれたように柳は民芸協会の仲間たちと琉球を訪れ、琉球の文化・風土に魅せられていきます。以下の記述は展覧会からの所感です。琉球に対する自らの理解の浅さ狭さ、本土の人たちの無理解への憤りも感じ取れます。

今迄琉球に関して繰り返し聞かされたことは、比の島が如何に貧乏な所であるかと云うことでした。(略)私達は如何に琉球が様々な面に於いて富有な琉球であるかを見ないわけにはいきませんでした。(略)現在の暮らしの内面に、又は信仰や作物や風俗や言語の中に、まだ驚くべき幾多の力を宿しているのを目前に見たのです。時の流れに押されて傾きがちな現状ではありますが、併し日本のどんな国に旅するとも、琉球ほどそれ等の力を今もありありと保有している地方はないのです。此のことこそは琉球の大きな資財、並々ならぬ富と呼んでいいのです。

(柳宗悦「琉球の富」、同書)

自然・風土・人々の営みの協調で培われてきた琉球を見つめ、時流に流されていく弊害も感知しながら、琉球への驚きと共感を込めて、文化のあり方、モノづくりのあり方を語ります。こういう琉球体験のもとに、琉球の染めや織り、陶器、漆器などの諸工芸が紹介され、わけても芭蕉布がクローズアップされます。戦時下、本土ではますます失われていく手仕事が、しかも時間と手間を要する手作業が、たゆみなく続けられていることへの共感とそれへの声援がこもっています。暮らしの貧しさの裏には風土に培われた豊かな本物の富があったのです。戦前の琉球の文化・風俗の姿を誠実に本質からとらえた文章です。

柳の期待もむなしく、太平洋戦争では琉球を日本本土戦を忌避するための盾として、戦場にしてしまいました。沖縄戦は、人々の暮らしだけでなく歴史も文化・風俗も、そして独特の風土をも蹂躙し破却してしまいました。焦土と化した沖縄本島に追い打ちをかけるようにアメリカ軍が進駐し、戦後は、本島をはじめ島々を軍事基地として占領していきます。沖縄の人から原郷が剝奪され、培ってきた伝承・口承によるもの、モノづくりによるものなどが遠ざかり、打ち捨てられていきました。貧困ばかりか膨大な戦争犠牲者の負担も加わり、アメリカ統治になって、琉球は親を失った戦災孤児同然、本土から見放され虚脱状態に陥ります。そういう惨状の島にあって、柳と共振する驚くべき動きがありました。

平良敏子さんです。平良敏子は一九二一年、沖縄県大宜味村喜如嘉に生まれ、早くから母の指導で織物の手仕事を身につけました。四四年、二十三歳のとき、沖縄県勤労女子挺身隊隊長として倉敷で勤務します。日本の敗戦後は、柳宗悦の協力者、倉敷の民芸運動家・染織家、外村吉之介から直々に染織の基本を学び直し、四六年秋、喜如嘉に帰ります。外村を通して柳の思想と運動も伝授されたことでしょう。しかし、芭蕉布の原材である糸芭蕉の畑はアメリカ軍によって焼き払われていました。そこで、まずは糸芭蕉の栽培からの再出発となりました。

芭蕉布は多くの人たちが多くの用具を使い多くの工程を経てできあがる織物です。柳宗悦もいうように手仕事の連続で、人と人、人と用具、人とモノ（材料）との共同作業、協働です。育つのに三年を要する糸芭蕉の栽培—収穫（苧《ウ》倒し）—苧《ウ》剝ぎ（繊維とり）—苧《ウ》炊き—苧《ウ》引き—チング（繊維を拳大のボール型にする）巻き—苧《ウ》績《つ》み（繊維をつないで長い糸をつくる）—管巻き（糸をまゆ状に巻く）—糸車による撚《よ》りかけ—整経—煮綛《にがし》（木灰汁での精練）—絣結び—染色—機ごしらえ—織り—洗濯（大倉集古館制作、平良美恵子監修『芭蕉布——人間国宝・平良敏子と喜如嘉の手仕事』〔平良敏子展カタログ〕、オフィスイーヨー、二〇二二年）へ、これらの諸工程はどれも熟練を要し、手仕事に手抜きは厳禁です。どの工程にあってもモノづくりの職人の心魂が込められています。糸芭蕉を栽培した人、その皮をむいて繊維を選別していく作業など、自然そのものから工程ごとに姿を変えていくモノへと、媒介していくのが手

カラーの美、シンプルの極致。平良敏子「黄地 ヤシラミー碁盤《グバン》」煮綛芭蕉布、着物（2016年、芭蕉布織物工房蔵）
（出典：大倉集古館制作、平良美恵子監修『芭蕉布——人間国宝・平良敏子と喜如嘉の手仕事』〔平良敏子展カタログ〕、オフィスイーヨー、2022年、20ページ、図17）

「煮綛芭蕉布 琉球着物」、平良敏子「ムディー綾 番匠《バンジョー》くずし」煮綛芭蕉布、琉球着物（1996年、日本伝承染織振興会蔵）
（出典：前掲『芭蕉布』22ページ、図19）

仕事であり、職人です。自然、モノ、人という三者が共振しあい協働して、自然とモノ＝織物と人が協調し助け合うところ、人間同士だけでなく、この三者も仲間としてはたらき励ましあうところに、手づくりの織りが出現してきます。

手仕事を支えもり立てるのはこれら三者です。手仕事へと精進させるのも自然・モノ・人（仲間）で、それらの「和」です。和をとりもつのは、土地（風土・郷土）への愛と慈しみ、感謝の心です。愛、慈しみ、感謝は、風土に対してだけでなく、膨大な先人に対しても、一緒に仕事に携わる仲間たち、見守ってくれる人たち、風土を支える人たちに対しても、おのずから内心から湧き起こるものです。それらの思い入れが作品・制作にもにじみ出てきます。琉球風土に染みるフォーク力、柳は戦前の琉球に、琉球の手仕事に、それを見て取っていたのです。

一九七〇年代半ばすぎから八〇年代初めにかけて、日本橋三越で開催されていた日本伝統工芸展に通っていたとき、民芸、特に染織に知識も関心も薄かった当時の私を最も驚かせたのが、平良敏子の芭蕉布でした。人間国宝の染織の名匠の作が連なる会場は、紋様、織り、綴り、絣、友禅、当時人気絶頂の草木染の作者の新作など、各地の特産の代表作、名人技の競演の観を呈していました。そこでは技巧に感心することはあっても、アイデアを楽しむことはあっても、心を揺さぶられる作品との出合いはまれでした。そんななか、九年母地緑一色の芭蕉布、絣文様も何も加えない赤染一色の芭蕉布の着物の前で立ち止まってしまいました。華やかな作品群のなかで、てらいもなく、主張もなく、ただ単色の生地が衣桁に架かっているのです。平良敏子という名が強く記憶にとどめられた瞬間です。

芭蕉布の染料は主として琉球藍（藍）と車輪梅《しゃりんばい》（茶）です。ほかには相思樹（茶）、福木（黄色）、楊梅（褐色）、蘇芳（赤、紫）、木麻黄（茶）、インド茜（赤）など、琉球に多く見られる常緑の高木灌木で、多年草も常用されます。それら土地の植物から得られる染料で経糸《たて》・緯糸《よこ》が染められ、経緯の組み合わせで色合いを工夫しながら織り上げられます。さらに無地織に加え、絣も芭蕉布に多用されますが、絣文様も単純なもの端正なものが主流で、小鳥や波型、花合などが図案化され、経絣、緯絣となって生地に控えめながら流動するアクセントを付けています。しかし丹念なアクセントを付けることはあっても、色も、文様や絣も、花織でさえ、芭蕉布は生地こそが命です。地色の色合い、肌ざわり、手ざわり感、通風感など、見るだけでも体に爽やかさを感じさせるのが芭蕉布で、亜熱帯という風土そのものが生み出したもの、風土味、フォーク感にあふれた印象です。作品から、それが匂い立っているのです。

平良敏子のフォークアート実践

作品には平良の個人の技、心、思いがあふれています。しかし、人間国宝の名匠や自信たっぷりの名工たちの作品とは一線を画すところがあります。名匠や名工たちが自分の技やアイデアを誇示し、時流を意識し、現代の匠を自負し、独創性をもつ作者として振る舞い、制作するのに対し、すなわちパーソナルアーティストであるのに対し、平良の作品からはそういう気負いは漂ってきません。ほかのアーティストと呼ばれる人たちには考えられないものが、背後からしっかりと支えている感じです。織物も陶器も漆器も木工品ももともとは日常身辺の用具です。たとえ、装飾品であっても日常空間に置かれるもので、そのもの自体を鑑賞し飾り置くものではなく、勝手よく用い楽しむことで、モノそのものの姿も風合いも育っていくことを慈しみました。職人たち、名を主張しない名工たちも作品が用いられ育つことが願いで、それが制作の思いと姿勢になっていたのでしょう。平良の作品には、毅然とした品格を有しながら、やはりベースには用いられて育つという用の感覚があります。用こそは日常身辺のモノの願うところです。

芭蕉布の色は平良によって創案され染められた色ではありません。福木や琉球藍、揚梅など大切に育てた自然の草木がもつ本来の色、樹皮の下の繊維からにじみ出る色合い、自然からいただいた染料と繊維とが互いに相性を求め、互いに高め合って織りなす色調、自然がもつ色や肌ざわりを見、聞き取り、自分の作為や思いつきを介入させず、それらの語りかけのままに素直に表現する、それが制作者だという自覚です。アーティスト、ましてや個性を押し出すようなパーソナルアーティストの姿勢は手仕事にはまったく無用です。むしろ、じゃまです。風土を愛し慈しみ大切にする心と姿勢は、自然からいただくという心と姿勢です。平良は一人で制作するのではなく、いつも自然と語り合い、喜如嘉の風土が差し出してくれる表情を表現してきました。芭蕉布の生地は自然と琉球風土と平良とその仲間たちの協働による無銘の作です。フォークアートそのものです。織り上がった芭蕉布は風土への、歴史や先人への、協働する仲間たちへの感謝であり返礼です。つつましさが品格となっています。

芭蕉布の戦後の復興再生をリードしたのは平良敏子ですが、平良を支えたのは仲間たちであり、風土や先人への思いの共有でした。個の力や技や考えを超えた超パーソナルの考えや技が風土に根づき、風土を豊かにし、もり立て、風土への報謝になっていきます。また、琉球の太陽、空、海、サンゴ礁、花々、風など、日常を彩るものへの感謝もあります。芭蕉布は風土色として琉球を表象するだけでなく、日本という国にあって、そのローカリティーを代表するものとして、グローバルへと成長しました。その結果、グローバルとローカルは融和して、ローカルカラーはグローカルカラーになっていきました。ベースにあるのはフォーク力です。

個の主張よりも、自然や風土に敬虔に接し、その心を学び、いただけるものを謙虚にいただく、これが自然から素材・原料をいただくモノづくりの姿勢です。従来から、誠実なフォークアートが原点としてきたことです。フォークアートの芭蕉布から喜如嘉、大宜味村、ヤンバル、琉球のフォークロアが響いてくるようです。土地とつくる者と見守る人とが織り上げる共同体、そこに培われる個を超えた緊密にしておおらかな共同主観が、みんなの思いと知恵の表現としてのフォークロアになって伸長していきます。そんな反響からの試みのささやかな一例。

一九七〇年終わりごろから芭蕉紙の再興が始まりました。芭蕉紙は、芭蕉布の再生・新生に刺激を得て、出雲和紙の技を取り入れての試作の積み重ねから生まれたものです。芭蕉紙再興者の勝公房は、平良敏子自身の経験談・技術論に感銘を受け、庶民向けの紙づくりに挑みました。芭蕉布に比べれば手ざわりも色感も粗く、とても上質の紙とはいえず芭蕉布レベルではありませんが、フォークアートの呼応です。パーソナルアートがともすると模倣や盗作に堕しがちなのと違い、フォークアートは呼びかけあい、協働できるところは協働し、互いに成長し変化していきます。フォークロアの優しい心根が通底しているからです。

平良敏子の芭蕉布は沖縄県無形文化財、国の重要無形文化財に指定され、平良もそれらの保持者に認定され、二〇〇〇年には人間国宝にも認定されました。しかし平良その人からも、作品からもそういういかめしさは感じられません。ただ、みんなと一緒に、喜如嘉という土地とともに認定されたという風情で、つくる側の精進と見守る人の支援への激励です。フォークアートやフォークロアの生成にスタンドプレーや個人名は不要です。主観は土地から、仲間から、協働のうちに育っていくもので、芭蕉布というフォークアートを育てたのは、互いに磨き合うこの共同主観、フォークロア的主観によるものでした。

フォークアートに誘う琉球風土

若きヴァルター・ベンヤミンは「資本主義はまぎれもない礼拝宗教である」(『来たるべき哲学のプログラム』道籏泰三訳、晶文社、一九九二年)と喝破しました。資本主義はお金を礼拝し資本を仰望する世俗宗教、グローバル宗教へと上昇したというのです。貨幣礼拝宗教=資本主義のもとでは、個人間、企業間から国際間まで、関係をつくるのは資本(貨幣)で、人間同士の関係、人とモノとの関係にも親密さは生じません。欲望と打算が関係の尺度になるのです。お金があるところが活気あるところとされ、貧しい土地や国はますます衰弱し見捨てられていきます。では、資本に乏しい琉球はどこに資本礼拝宗教の抑圧からの回避口を見いだしてきたのでしょう。

琉球を訪れた人はほとんどがリピーターになるといわれます。南島の空気を思い出し琉球への旅を繰り返す、いわゆる南島病の人たちです。まず琉球は空、海、風（空気）で迎えてくれます。目に染みる美と風合いは本土にないもので、自然がみせてくれる美の万華鏡です。人手が加わった集落にも自然の風情は、道に、庭に、屋根に、森に、空に、渚に漂い、笑顔で迎えてくれます。しかも会う人たちがほほ笑みで迎えてくれ、くつろげば琉球の酒食を勧め、三線を奏で、歌い、踊りの披露となります。迎える場所の自然、迎える人たちの自然体、それが自然に琉球の風味となってのもてなしです。琉球は自然も含め、もてなしの国です。もてなしの基本は貨幣でなく人やモノとの関係です。

琉球は関係を大切にするところです。縁という関係もその一つです。縁には大別して、血縁・地縁、仕事のつながり＝業縁、文通や情報交換などの文縁、社会的奉仕などによる善縁の五つがあります。琉球を琉球らしくしてきたのはこれらの諸縁で、琉球島嶼内だけでなく移住者たちや交易を介して琉球を外部へ開いていきました。

血縁はヨコのつながりで、これを大切にすることは、先祖と飲食をともにする盛大な晴明祭や立派な墓のたたずまいに見られます。これら、葬祭の場と祀りは一家だけでなく一族一門あげての関係の確かめと祝福です。次にタテとのつながりに重ねて地縁があります。現在は薄れつつありますが、琉球の風土色にもなっているのが地縁で、「沖縄言葉でシマとは、島という意味のほかに、もっとも大事な意味「自分の生まれ住んでいるところ」を表す。シマは、人びとが強い連帯感で結ばれ、ひとつのまとまった共同体世界を構成している。沖縄の文化は、これら数百のシマの個性ゆたかな文化の集成である」（比嘉政夫『沖縄の親族・信仰・祭祀――社会人類学の視座から』〔琉球弧叢書〕、榕樹書林、二〇一〇年）といわれるように、地縁は沖縄から奄美にかけて相互協調の連帯をつくり、共同主観を培い、場所ならではの固有の文化や歴史・風俗をつくってきました。シマを盛り上げる共同祭祀や御嶽《うたき》、年中行事などによってヨコの縁は深められていきます。タテとヨコの縁が交差しあうところに琉球の暮らしも文化も、そして歌や踊り、フォークアートも自生していきます。

「結《ゆい》」とは琉球の同業者や近隣住民が共同作業をする集まりです。農水産業は繁忙期が集中するため、多くの人手を要します。仕事の助け合いは気持ちの交歓になり、業縁がタテヨコの縁にない縁、相互扶助で、土地と人、作物や作品、共同体までもつくりあげていきます。業縁は本土や諸外国への集団移住や就職の紐帯ともなり、琉球を外の世界へとつなぐ媒介ともなってきました。琉球の人たちは貧しさをバネにして身軽です。ディアスポラとしての自由な生き方を支えたのも業縁で、琉球では悲しい惨酷な歴史も吸収して、業縁からは助け合い連帯せざるをえないという悲願も漂ってきます。

文縁も善縁も現在は日本の他地域同様、琉球でも衰退しています。しかし、移民の慣行風俗や移民地と琉球との親交会などにその残影をみることができます。この縁の流れにローカルからグローバルへの志向も定着していきます。

善縁はいまは姿を変えて琉球をもり立てています。たとえば、戦後のアメリカ軍占領、駐屯、基地、本土の無理解に抗するように、「島ぐるみ」の連帯運動が進められています。島づくりは自分たちの手で、という覚悟と気概があってのことです。古層の縁の上に新しい縁が芽生え育っています。

もてなしの文化、縁の社会作法、それらは琉球を他国、他地方から際立たせるものです。自然、風土、歴史、それらと生をともにしてきた人たち、それら三者と長期にわたって協働してきた人たち、この四者が育てた力であり文化です。そのベースには外から虐げられてきた暗い歴史があり、貧しさに耐え反転しようとする心根があります。過酷な体制下では個は共同体のなかでしか存立できません。みんなで営む共同体を大切にするというのが琉球の生の姿勢、社会の作法になっていきます。その心性と構造は沖縄で、特に共同体内で最も大切な場所とされる御嶽にも見て取れます。御嶽には、共同の生業の安泰と発展を祈願するものもありますが、大多数は場所・共同体の聖地です。御嶽で祈願されるのは集落の安泰で、決して個人の願いごとではありません。琉球の諸分野すべての表現から漂い出るのが個々を包み込む共同主観で、それはフォークロアの風合い、フォークアートのスタイルそのものです。

自己主張よりもみんなとの協調を大切にする集合知、協働知こそ、自分も仲間も地域社会も生かすことができるとするのが琉球スタイルです。自分の仕事と仲間との業縁を大事にしながら、他分野とも交流し、もてなし合い、学び合うのが琉球フォークアートのスタンスです。アーティスト気どりは無用、手仕事の職人気質と技の交歓がジャンル間の通風になり刺激になっていきます。染と織との交わりはもとより、陶芸や石工、漆芸などとも通じ合う風情があるのは、個々の業縁を超えたもう一つ大きな業縁と、互いのもてなしから生まれるもので、日常の作法の延長上にあるものです。琉球料理の典型チャンプルーそのままに、他分野、異質とされるものも気安くチャンプルー（ごちゃまぜ）する、そこには堅苦しさから脱した日常性の風味、フォークロアの味わいが醸し出されてきます。

自らの表現をもちながら多様性や異質性と共生するフォークアートの得意の味わいです。チャンプルー文化・作法はアートを活気づけ、フォークロアを盛り上げていくのです。多様・異質なものを混ぜ合わせるのはあそびごころ、もてなしの心からです。人とモノ、モノとモノ、人と人など、連帯のチャンプルー文化は自分にこだわらない、サービス心を秘めたもてなしのあそびごころの所産です。あそびごころある表現やモノに、聞く人・見る人・使う人も癒され、表現の妙、アートの力を感じ取ります。アートは主張ではありません。控えめな呼びかけが聞くともなく見るともなく感じられるものです。

平良敏子が願ったこと、アート立国琉球

平良敏子は個の仕事に専念しながら、仲間と協働し、喜如嘉に溶け込み、個のレベルを超える手仕事を完成させました。芭蕉布は色も絣も織も、沖縄戦と、引き続く敗戦直後の断絶を除いて、戦前の遺産の継承です。しかし敗戦後の沖縄の世情は本土以上に荒廃し、琉球の人にも伝統の仕事への期待は薄れ、生活に窮するなか、粗悪

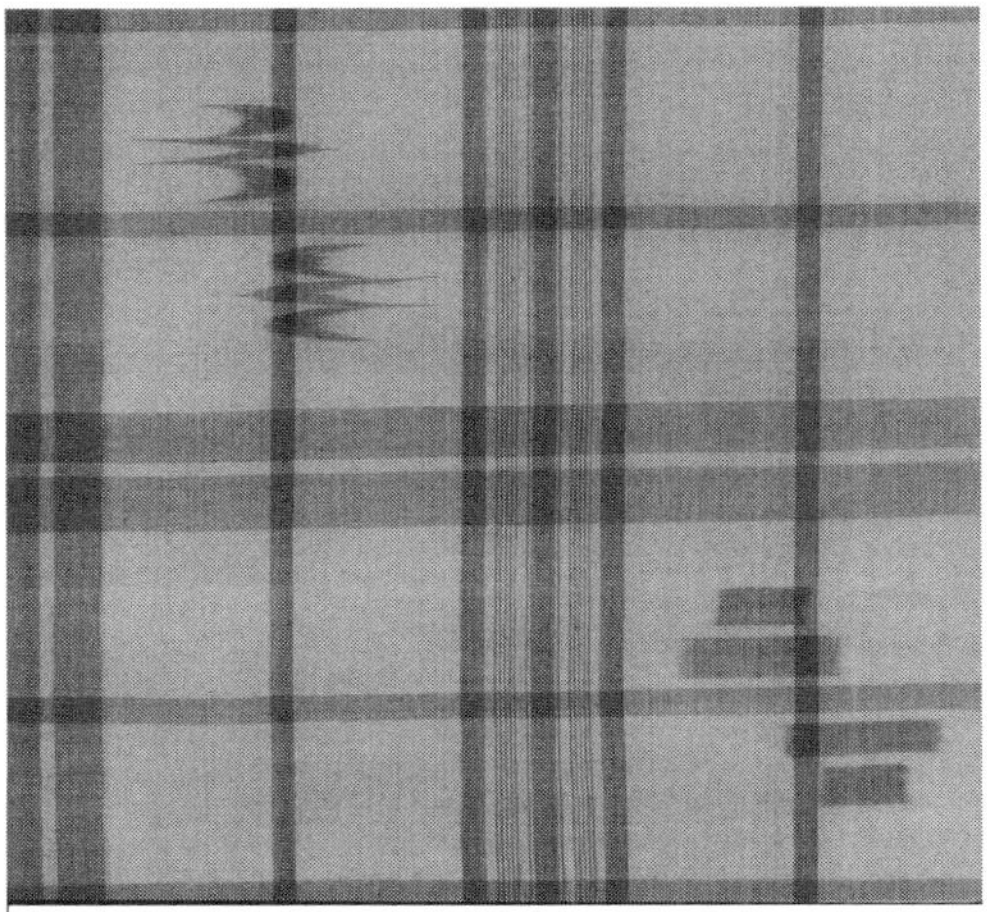

「黄地小鳥引下綾中」
（出典：前掲『芭蕉布』10ページ、図2）

な製品も出回ります。平良が戦後に帰郷したとき、本土の都市部の乱脈ほどではないにしても、琉球は惨憺たる状態でした。平良は倉敷での外村吉之介の指導と、外村の師であり同志だった柳宗悦の思想と行動に後押しされて、伝統と自らの経験を元手に手仕事に没頭していきます。芭蕉布の本道をいく、これが伝統継承の目標でした。モノづくりの根本姿勢はもちろん、柳と外村譲りです。自ら芭蕉布の原料・糸芭蕉の栽培から始め、原料や染料などモノの語りかけることを聞き取り、モノと対話しながらモノの表現を助け、そしてモノと自分との協働制作へと仕上げていきます。仲間たちの目、忠告、伝統からの語りかけ、喜如嘉の願いを感じ取りながら、それらを取り込んでの制作の行く先に、平良の芭蕉布が清新な姿で出現してきます。手仕事の極致ともいうべき喜如嘉の色、染、絣が紡ぎ出され、仲間とともに喜如嘉という郷土へのお返しを祝い合いました。喜如嘉ならではの色、染、織はローカルな製品でありながらローカルを超えるものがありました。ローカルカラーが琉球全土へ、本土へと迎えられ、ローカルカラーを超えて琉球の、さらには日本のカラーになっていきます。ローカルからナショナルへ、ワールドへの進展です。ローカルカラーそのものが地域を超えて表現世界を変え、アートを先導した感じです。アートの近況を追うのではなく、足を地につけ自分の立脚点を見極め、なすべき本道に徹するところに、真正のローカルカラーが生まれたのです。独自性をもったローカルカラーを内包しないワールドカラーもグローバルカラーも脆弱で魅力に乏しいものになります。無国籍性はアートの特性にはならないのです。

　アート界は多様多彩でありつづけなければなりません。多様性を保持し展開させる力はローカルアートにあり、フォークアートにあります。自然も素材も人も発想も、色も形も技術も、雑多そのものがローカルの世界で、それらが個々にローカリティーをべ

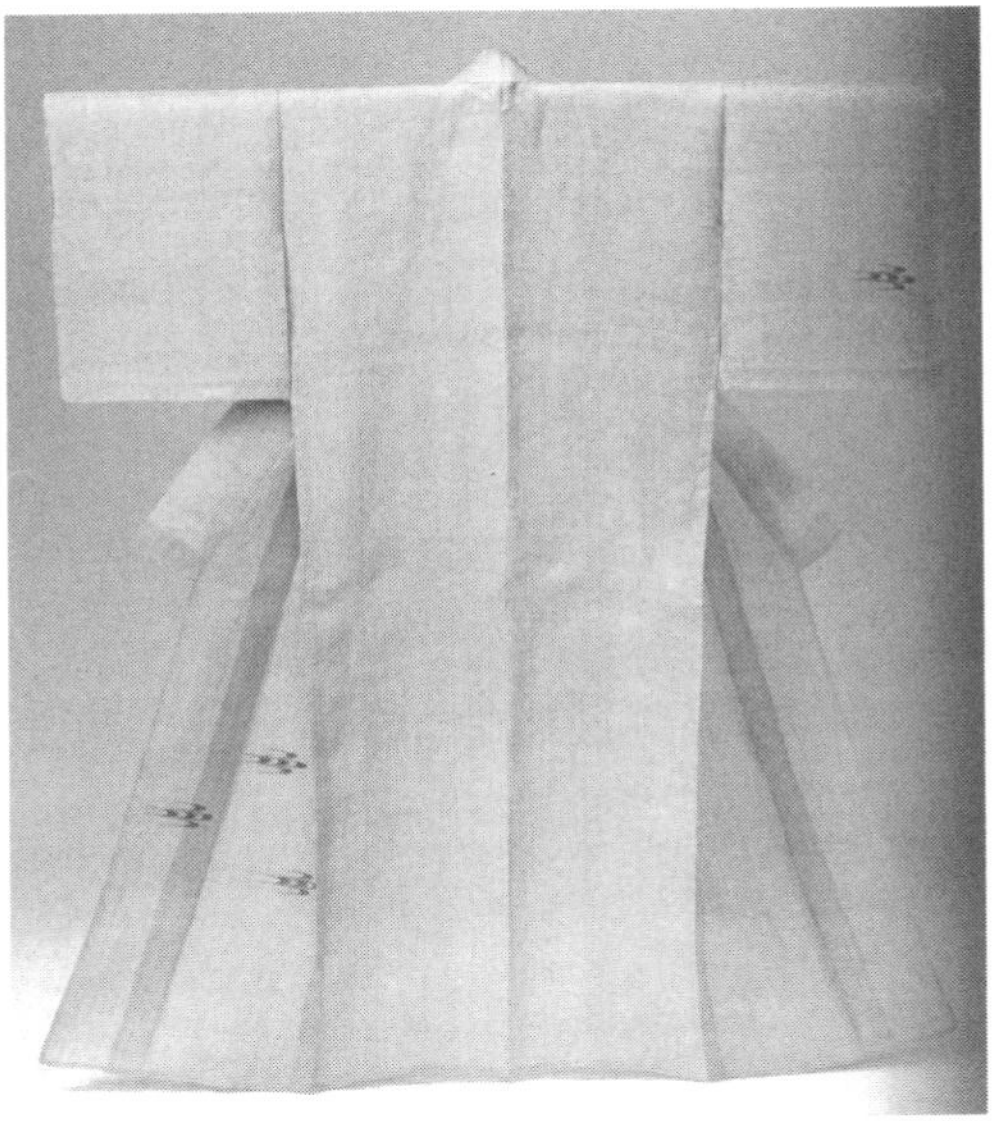

風土・素材・手仕事の協働作、平良敏子「一玉小鳥」芭蕉布、着物（1983年、芭蕉布織物工房蔵）
（出典：前掲『芭蕉布』81ページ、図73）

ースにフォークアートを試みるとき、アート界は多様多彩の活気あるカオスを呈するでしょう。アートはカオスやノイズと相性がよく、秩序や約束ごと、規則に収まったコスモスは陳腐として嫌います。個別性、非普遍性はローカリティーの求めるところで、ローカリティーを内に抱えて外部へ表現するとき、ローカルカラー、ローカルアートと競演し切磋し高めあうことで、力をより得、さらに外へと広がっていきます。平良敏子の試みはローカルカラー、ローカルアートの本道を究めることでしたが、やがて、ローカルアートを超え、広い世界へ、フォークアート界へと進展していきました。そしてワールドワイドのアートへと昇華していったのです。アートの基礎はそれぞれの表現者がもつローカリティー、地域性や生活世界に基づくローカリティーにあり、その自覚と深化がフォークアートへと連鎖し、アート表現の拠点になっていきます。平良は戦後の再出発時から心に期した路線を着実に進むことで、ローカルアートからフォークアートへ、アートの正しい位置づけを自らに課した結果、ローカルカラーの充溢するグローカルカラーへと認定されるに至ったのです。

パーソナルカラー、パーソナルアートからパブリックカラー、パブリックアートへ、さらにフォークアートの原点へと、表現を深めながら、平良敏子は喜如嘉の、琉球の、そして日本の芭蕉布をつくりあげました。その間グローバリズムなどに目を向けず、ローカリティーに徹することで、ローカリティーはグローバリティーを取り込み、グローカリティーへと成熟していった感じです。ローカル＋グローバル＝グローカル、という相互介入によって、画一的でないグローカルカラー、グローカルアートへと芭蕉布は変容していきました。芭蕉布を再興しようと平良が決意したときの願いを大きく超えたこの方向は、ローカリティーの追求精進の過程でも見えていたにちがいありません。作品も、いまの言葉でいえば、地産地消から地産他消へ、地産世界消へと伸展していきます。その過程を声援し励ましてくれたのは、琉球の縁の作法、もてなしの心、チャンプルーの技でした。手仕事という原点は揺るがず、フォークロア、フォークアートと連携しての到達でした。

芭蕉布は平良敏子とその仲間たちによって、手づくりの本道を通して新しい輝きを獲得しました。迂回のように見えても、本道はどの分野でもそれてはならないものです。自然との協働や仲間との協働、先人との対話、他分野との交歓など、地味な作業を積み重ねていくことで実りを結ぶことでしょう。発想も手法もプリミティブに立ち戻っての出発です。フォークロア、フォークアートもまたプリミティブな心、手法、姿勢を大切に抱え続けなければ成就しないでしょう。

［ワークショップ課題］

①極上のカンヴァス芭蕉布に新しい絣模様を織り（描き）込んでみよう。新しい図案を楽しんでみよう。

②身近なローカルカラーを見いだし、ローカルカラー一色の絵画世界をつくってみよう。

③ローカルな染織物をベースに、協働して新しい染織絵画を立ち上げよう。ファッション革命かも。

第6章

フォークアートに共鳴した先駆者たち

——ファインアートを革新する力

ファインアートの活況のなかから

前世紀、二十世紀の前半は表現の世界、とりわけ美術界はにぎやかでした。フランスの印象派の知的で感性豊かな成果のあと、キュビズム、未来派、ノイエザハリヒカイト、フォービズム、ダダイズム、シュールレアリスム、コミュニズム、アブストラクト、アンフォルメル、ポップアート、ミニマリズム、コンセプチュアルアート、インスタレーションなどと、皮肉を込めて言うならば手前味噌、個人や小グループが自己流に自作を意味づけ格好づけようと流派をつくり、アート運動らしい体裁をつくろってみせた何でもありの時期でした。そういう実験・試行が次々と出現しては変わり、すたれていったのは、かつてないほど速く大きな社会・現実・国際情勢の変化に連動したもので、旧来の表現では十分に内に抱えたもの＝思想や感情も、外部世界のダイナミズムも把握できず、美への意識も時の流れや地域状況に応じてあわただしく変容して、表現すべきものも表現の方法もそれにつれて変容を要求されてきたからです。二十世紀前半は表現の冒険時代で、美術家というより何でもできる実験工房が牽引する感じでした。多様性や、実験色がある行為や制作などなら、何でも表現が許され、アート界に割り込めるカオス的狼藉のよき時期でした。

日本でも戦時中を除いてその趨勢に追随し模倣し、特に戦後は世界の動きに遅れてはならないと、次々と結社をつくり、復興期から、一九六〇年代後半の学生中心の政治運動が起こった政治の季節、高度経済成長期へと、政治・社会相に従い、それにのまれながら、にぎやかに表現世界を展開していきました。前衛美術協会、デモクラート美術家協会、実験工房、実在者、具体美術協会、九州派、ネオ・ダダイズム・オルガナイザーズ、ハイレッド・センターなど、美術表現を志す者が数人集まれば協会、工房、グループ、研究会ができ、展示会やイベントで存在を喧伝するという、活気よりも騒々しい動きに目を取られる美術界の乱世が続きました。美術表現は他分野に比べ表現が直接的・感覚的であるために、思いつくことを実験・実践しやすいこともあり、また訴える方法も感覚的なだけにわかりやすく即効性もあるからでしょう。自立しやすい芸術表現のせいか、ピンからキリまで多様雑多で、レベル低下は否めません。親近性、卑近さは美術表現に重要な面ですが、しかしそれがプロレタリア系絵画でも民画のような絵でも力になることはありませんでした。世界の風潮にならって、表現の実験場、フロンティアとして、個人の、仲間うちの、ファインアートとするものにとらわれ続けてきました。そしてようやく戦後の模索や混乱から脱出し、政治・社会の保守化、沈滞化につれて、あわただしいアート界の騒動も鎮静化していきました。

きわめて大雑把すぎますが、これが二十世紀の美術界の内外の実態ではないでしょうか。ファインアートを頂点と考える芸術家・作者の意識は西欧も日本も強く、ファインアーティストは美術の専門家としてお高くとまり、また一般にそう見られてきました。しかし、ファインアートの活況、言い換えれば各流派の宣伝合戦を斜に見、そういう美術界の空気から脱出したい、脱出しなければと考える表現者も、戦前を含め、渦中から出現してきます。アート界の体制はアートの本道ではないとする危惧と嫌悪からです。表現の革新といい、時代・社会に向き合い、それにふさわしい表現を志すといいながら、時流に迎合し押し流され、何でもありの自由の空気のなか、表現の質の荒廃化をもたらしたことへの抵抗です。アート革命あそびの不毛さ、何でもアートとするアート漬けのアーティストたち、アート依存からの脱出の試みが、ぽつりぽつり頭をもたげてきます。アートとは何を表現するものか、誰に向かって呼びかけ問いかけるのか、アーティスト同士による表現でなく、より本質的な問いに気づいた表現者たちです。アート依存から離脱して汚染されていない表現を志す創作者たちが、アート漬けの美術界とその表現を、ささやかながら、涼風のように爽やかにしてくれました。混迷のアート界からの脱出をどこに見いだすか、人間も表現もよみがえらせてくれる爽やかな脱出口をどこに見いだすか、いろいろな試みを、軽重を問わず、一瞥してみます。

ファインアートからの脱出：1——表現の原点へ

はじめにプリミティブの発見、それに向かっての脱出です。表現の原型への回帰です。アートや表現を意識せずに、描き、つくる衝動・志向です。大阪万博公園にある国立民族学博物館の開館直前、梅棹忠夫館長と館内を巡ったことがありました。文化人類学、社会人類学による収集・展示は充実していました。民族といえば人種が連想されがちですが、民族衣装、民族音楽、習俗慣行、民族文化など、世界各地の民族を訪ね、モノと映像とブランドによって表現した民族誌の展開です。そこでつぶさに民俗の生態そのもの、民族の暮らし、生きるということの表現、生の工夫を見ることができました。生存環境による民俗の違い、その表出法の違いに驚きました。なかでも圧倒的に迫ってきたのは、アフリカ原住民の顔化粧、タトゥー、ボディーペインティングであり、それにも増して迫ってきたのは仮面でした。色彩、線、くまどり、大胆なデフォルメ、それまでなじんでいた顔面、人の表情、お面などとはまったく違うものがネイティブの仮面にはありました。それに続く韓国の仮面展示にも同じ迫力が感じられ、まさしく、柳宗悦が驚嘆した民俗工芸の粋でした。

そこでハッと気づきました。パブロ・ピカソは生涯で何度も作風が変わった作家です。なかでも美意識・表現観の大きな変革をもたらしたのはこれら原始仮面との出合いによるのではないか、と。実験に実験を重ね自己変

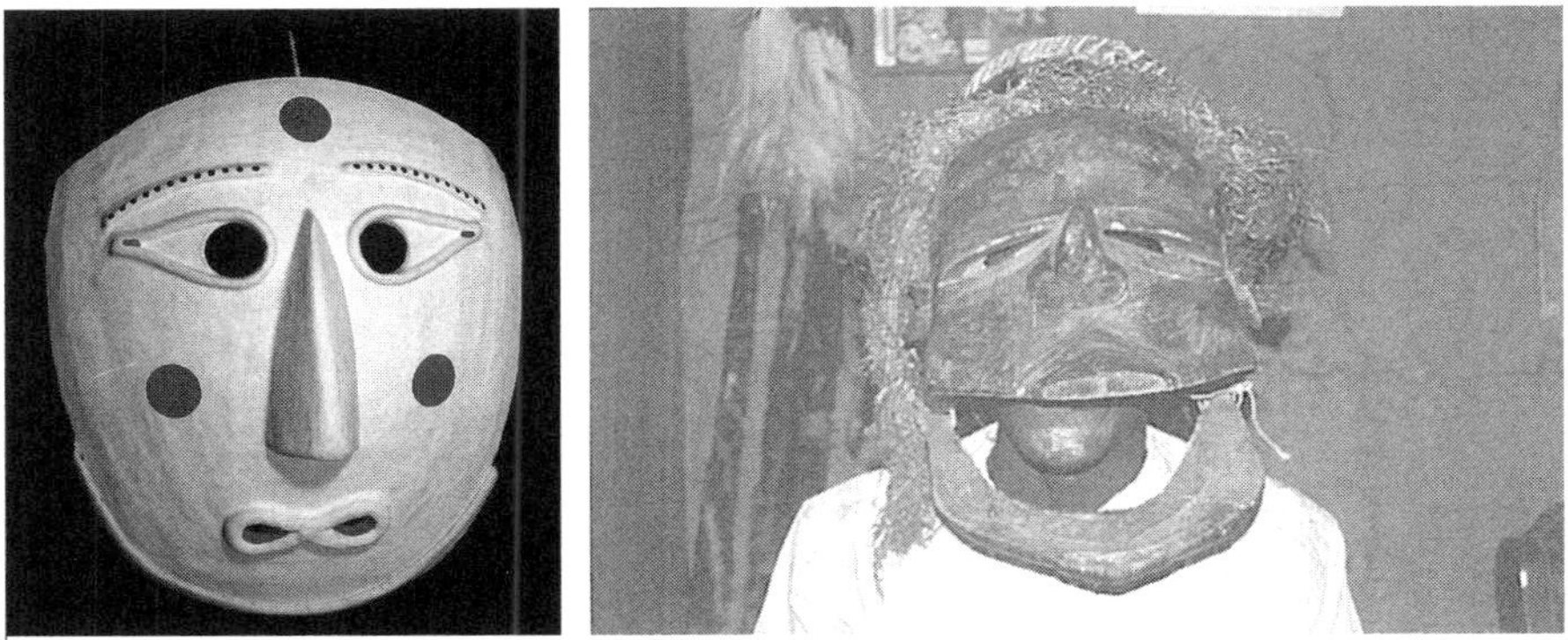

右はアフリカ原住民の仮面、左は朝鮮の仮面
（出典：右：佐々木重洋『仮面パフォーマンスの人類学――アフリカ、豹の森の仮面文化と近代』世界思想社、2000年、112ページ、図18、左：森田拾史郎『韓国の仮面――森田拾史郎写真集』JICC 出版局、1988年、36ページ、図42）

革を試み続けてきたピカソが、全身から打ちのめされたのはこれだったのだ、という再発見です。ピカソはネイティブの仮面のほかにも、西欧の知や感覚では想像もできない色・線・形でつくられ飾られた盾や矛などの武具にもこれまで体感したことがない迫力を覚えました。プリミティブなものとの出合い、発見です。プリミティブの迫力に驚き、表現の原点はここにあるとして、ピカソは表現を、思考や感情からでなく、生の衝動、民族のエネルギー、民俗の結集に見いだしました。アート意識で作為を弄さないストレートな表現の発見と自覚です。プリミティビズムとの出合いは、以後のピカソの多彩な活動にあって、ときにプリミティブそのものの表現に、ときにフォークアート的に表現されていきます。ピカソのなかのアーティスト気質とプリミティブ志向の拮抗、新しく気づいたフォークロアへの関心と、土地や民俗色への親近性と、その融合・協働、そこから絵画や壁画に、陶芸や造形物に、あそびごころを支えとして創作は奔放に展開されました。

ピカソによるプリミティブの発見・実験は、しかし大きく継承されませんでした。たとえば日本では岡本太郎が縄文土器の見直しと、それによる日本文化観の根本的修正、そして生のストレート表現と地域のフォークアートの関心へと展開していきましたが、これは特例です。フォークアート志向も表現者たちに同調者は少なく、人為的なアート表現でなく、生存そのものの内発的表出は、人工アートに汚染された表現たちにはその表現の切実さは伝承されないままでした。

プリミティブなものへの目と志向はこれからの表現の目標の一つになってほしいものです。表現は頭で考え感情を表出することでなく、生そのものの噴出です。フォークソングやフォークダンスが生の発散であり、拡充そのものであるように、生の爆発こそが沈滞ぎみなアート界を突破する今後の方向になります。そして、新生フォークアートの出発点の一つに、ピカソを震撼させたプリミティブアートをしっかりととらえておきたいものです。

プリミティブアートと並んでアートの原点としたい重要な方向があります。ジャン・デュビュッフェは、フランスの二十世紀半ばを代表する画家の一人です。彼は、泥沼のような時代情勢にあって、自画像・人物像を描き、泥や砂や屑物などを絵具に混ぜて塗り込め、人物像を厚塗りの下に沈み込ませました。どろりとした画面からはフォルムがないフォルムのうめきが聞こえてきます。デュビュッフェは、自分の限界を見つめるように「絵画の限界を見つめよう」と宣言します。個性を超えた超個性の表現に至るには、出合いがありました。絵画を学んだことがない子どもの絵と、精神的・知的障害者の絵です。特に精神障害者と知的障害者の表現には、個性という呪いにとらわれた近現代の画家には絶対に表現できない色、線、フォルム、肌ざわりがあり、絵画の限界と出発点を示すものでした。デェビュッフェは彼らの表現をアール・ブリュットと呼んでたたえ、自らの絵画制作と併行してその表現の推進に努めます。アール・ブリュットもまた根源からの生の噴出、内部のカオスの爆発です。深い沈黙もこもっています。個性など作為にとらわれないストレートな生の炸裂です。ここにもプリミティブと並ぶ表現のアーキタイプがあります。こしらえものでないおのずから内発するもの、アートという観念にとらわれない表現、それが真正の表現ではないか、ここにアートを脱出する表現の原点が確認されたのです。

近年では少しく文明化の空気に染まってきていますが、オーストラリアの原住民アボリジニの表現（色、形、線）にも表現の原点を考えさせるものがあります。私たちのなかにも、幼児のときのなぐり描きのように、表現の爆発を喜ぶ気持ちもあります。身に染み込んだアート観を消去して、自分の内なる自然性・野性に気づき、その奔出に任せてはいかがでしょうか。自分の迫真力ある表現に驚くかもしれません。

アール・ブリュットの作品
（出典：小出由紀子編著『アール・ブリュット パッション・アンド・アクション』求龍堂、2008年、64、124ページ）

ファインアートからの脱出：2――人工空間から自然空間へ

　十九世紀前半から中期にかけてパリは都市の大改造が進みました。人工空間パサージュやブールバールの造営で、景観は日に日に変わっていきます。人為的・作為的な人工空間の造営で街は人工景へと変容していきます。絵画がアカデミックアート、肖像画、歴史画が主流の時代がなお続くなか、写真という新しい技術が発明され、成長著しい市民社会の表現メディアになって、市民たちの生態、実像、都市景を記録し定着させていきます。写真は新興市民力と新興科学技術力の相互協力によって成長しつづけ、都市化・人工空間化の証人になっていきました。

　都市の景観が人工空間、人工景になっていくのと同時に、自然科学の発達によって自然への関心も高まり、ナチュラリズムの考え方が学問、文芸、美術へと流入してきます。息苦しさと不自然さを増幅していく都市の人工空間から脱出したい、型どおりの旧式美術界から逃走したい、そういう動きの一つが、パリの南東バルビゾン村に移り住んだバルビゾン派と称される画家たちです。バルビゾン派は風景を描いただけではありません。ジャン＝フランソワ・ミレーにみるように、豊沃な自然とともに生業に専念し、自然と協働して生きることに祈りを欠かさない土地の民俗・文化、特に農民たちの心に共感し、祈りを込めてそれらを描きました。土地に培われたフォークロアのうえに営まれる生、自然、人々との協働が、さらにフォークロアを生成し、鎮魂と祈りのフォークアートへと誘ったのです。テオドール・ルソー、ジャン＝バティスト・カミーユ・コローの風景画も、脱都市、脱人工空間した安堵から生まれた人と自然が織りなす風土景です。人為的アートから自然性豊かなアートへ、フォークアートへ近づこうとする願いも感じられます。上からの目のアート、上層社会のアートでない、自然の声、農民の思いと祈りを込めた、いわば土地に根ざした下からの目のアートでした。写生としての風景画、ピクチュアレスクの表現とは思いも制作動機も異にするものでした。

バルビゾン派よりも古く、十七世紀ネーデルランドで、日常そのものを描く新絵画が展開しました。ピーテル・デ・ホーホ、フランス・ハルス、ヨハネス・フェルメールたちです。構図を構えた絵でなく、日常の庶民の営みそのものに共鳴し、そこに表現するに足りるもの、すなわちフォークロア感覚をすり合わせるものでした。

こういう脱都市、脱人工景への動きは、一九二〇年代にインドネシア・バリ島の農村ウブドゥに移住したフランスの芸術家たちへとつながるものです。彼らは聖なる山を望み、森や畑での人々の営みに同化しながら、都市的アートに汚染されないナチュラルなアート表現をめざす芸術村をつくりました。住民たちの生業が自然との協働であるように、芸術村の営みも自然と協和するよう努めました。いまもウブドゥは、自然とフォークロアが協調する心身にやさしい芸術的風土をつくっています。

人間は人工空間の人工景のなかに生き続けることはできません。飾り物の芸術や人工物に囲まれていては日常は息苦しくなります。脱人工空間、脱既成アートの試みは日本でもときに見られました。その一例です。一九五〇年代後半、田中一村は、千葉県から奄美大島へ移住し、南の島の木々の表情と共振し、奄美の自然景、特に樹木を描き続けました。田中の作品からは、奄美の風土の匂いが画面に漂い、フォークロアも聞こえてくる気配です。土地に根ざし土地が発する声をとらえ、土地と協働制作した感じの作品で、風景画のフォークアートです。

自然景、山岳景、風土景に親近する画家たちもいます。横山操は大胆な筆致で日本画界を揺さぶりましたが、晩年郷里に帰り、その風土景を打って変わって穏やかなフォルムに乗せて描きました。ノスタルジックなフォークロアのつぶやき、フォークアートへの転移です。香月泰男は郷里の山口にあってシベリア抑留体験を心魂込めて描き続けますが、その制作姿勢を緩和するかのように、粘土で人形や造形物の制作もおこないました。香月の母子像は別人の作かと思うばかりのもので、心の安らぎと祈りを込めて描かれます。粘土細工も母子像も郷土の空気との対話で、土地の優しさと呼応しておのずから手仕事となった感じの自然体そのものの表現です。地道なフォークロアへの接近、そしてフォークアートの試作でした。

脱人工空間志向は小説や詩、演劇活動でも見られます。たとえば東北地方。石川啄木は岩木山への思いをうたい、宮澤賢治は郷里を理想郷イーハトーブとし、太宰治は含羞と皮肉を交えながら津軽への賛辞を、寺山修司は前衛劇の実践中もつねに津軽の土俗性に関わり、四者それぞれ土地に心身を託すところがありました。東北は柳田國男が称揚するフォークロアを色濃く残す地です。フォークソング、フォークダンスも豊かで、土地ごとの土人形、コケシ、土産物なども素朴なフォークアートです。脱人工景を志向するとき、東北は琉球諸島と並び大きな受け皿でした。表現のなつかしい原点フォークロアへの回帰です。

文明社会からの脱出、既成観念からの逃走

都市で耐えがたいのは、土地所有の感覚なんです。すべてが塞がっている、すべてが取られてしまっているという印象です。今、この世に生まれてくるとしたらぞっとするだろうと思うことがよくあります。

（ル・クレジオ『もうひとつの場所』中地義和訳、新潮社、一九九六年）

社会全体を考えてみると、私たちが自分たちで造りだした環境に馴染んでいないのに対し、インディオの社会はその環境、つまり森という環境にうまく溶け込んでいる。

（きき手ジェラール・ド・コルタンズ「インタビュー・文学の探求」「特集 ル・クレジオ 地上の夢」堀容子／三ッ峰広一郎訳、「現代詩手帖」二〇〇六年十月号、思潮社）

フランスのノーベル賞作家で、前衛的手法を用いながらも、土地との関係をつねに意識し、人間の生き方や姿を追い求めてきたジャン＝マリー・ギュスターヴ・ル・クレジオの言葉です。彼はフランスで都市生活、作家活動をしながら、メキシコの大学で講義する機会を得ます。アフリカの砂漠体験は豊富ですがメキシコは初めてで、講義がないときはメキシコを巡りました。メキシコには誰の所有でもない土地、所有者のない土地が、多くは砂漠や森山ですが、存在することに驚きます。フランスでは誰のものでもない土地などすでになくなっていることに気づかされ、都市化、産業化による土地収奪のすさまじさに思いをいたします。そんな社会に自分はうかうかと生存してきたという反省も深まります。メキシコを巡る目も変わり、所有者なしの土地を維持する力について考えをめぐらします。浮上してきたのがメキシコの神話でありフォークロアであり、仮面や造形物などインディ

自然の表情を凝視し交歓する田中一村。「奄美の杜①ビロウ・コンロンカに蝶」（1965－74年〔昭和40年代〕、田中一村記念館蔵）
（出典：日本放送出版協会編『奄美を描いた画家田中一村展――奄美群島日本復帰50周年記念』（田中一村展カタログ）、奄美群島日本復帰50周年記念「奄美を描いた画家田中一村展」実行委員会、2004年、168ページ）

ポール・ゴーギャン『われらは何処から来るか、われらは何であるか、われらは何処へ行くか』（1897年、ボストン美術館蔵）
（出典：アルベルト・マルチニ／富永惣一監修『ファブリ 世界名画集 33 ゴーガン』平凡社、1970年、14－15ページ）

オがつくるフォークアートでした。所有に縛られない社会、仲間や共同体、集落に暗黙のうちに帰属するものやことが多いことにも驚かされました。生活様式や文明の差を生むのも土地や仲間、共同体との関係のあり方、意識の差にあることを実感します。そしてフランスとメキシコ、生活の場を二つにして、問題を自分のものとして温めていき、文明への向かい合い方をあらためて追求していきます。

ル・クレジオと似た先例があります。フランスの後期印象派の画家ポール・ゴーギャンです。公務員としてルーティン化された生活に慣らされてきた彼は、アール・ブリュットのように、自己流で絵を始め、アマチュア的な画風がファン・ゴッホと共通するところがあったのか、二人は親しく研鑽しあいます。色、フォルム、筆致などゴッホ流の絵画は、ほかのフランス特有の洗練された絵画と異質で、これまた自己流から出発したゴーギャンの作品と共振して、異質ながらアール・ブリュット的な雰囲気で通じ合い、フランス美術風土に一つの画流を形成しました。しかし美術界の雰囲気や社会慣習になじめない二人は、助け合っては離れながら、印象派の枠を突き破り、美術界から脱出していきます。ゴッホは内部の投影として色彩をぶつけ、対象を描きながら自らを見つめ内部を表現していきます。ゴーギャンも印象派風の都市風俗から離れていき、同様に内なる声、人間の物語に傾斜していきます。南の太陽はゴッホの導きとなり、脱出は都市文明にない光に向かっていきます。ゴーギャンはゴッホの焦燥を目の当たりにしながら、距離的にも時間的にもフランスを忘れさせてくれるところへと脱出していきます。太平洋のまんなか、タヒチ島がフランス、現代文明、旧アートを拒絶・排除できる聖地と見えたのです。

文明という人為的工作物に汚染されていないタヒチの現地人たちのなかに入り、その生活、考え方、表現などに親しんでいくにつれ、そこは文明の垢や毒を知らない素朴そのもの、プリミティブなフォークロアの宇宙と見えてきます。人々と呼応しあう現地のフォークロアが人々を、集落を、慰謝し、表情も仮面のように素朴化、単純化していきます。ヨーロッパの人間とは異質の人々、生存様態を異にする宇宙が、島を覆い、島を守り育て、島がまた人々を見守ってきたのです。ゴーギャンは島の営みや表情を島のフォークロアと聞き、神話的メッセージを読み取ります。「人間はどこからきたか、どこにいこうとしているのか」。環境とともに生存してきた住民との聖なる合奏であり、祈りの問いでした。ゴーギャンはそこに自分が文明社会から脱出してきた根本動機を感じ取り、作品からも現地人の祈りが漂ってくるようになります。ゴッホの作品に太陽といのちの裏打ちがあるように、ゴーギャンの制作には人間を見守る祈りと聖物語＝フォークロアの声が響いています。二人はともに、人工化を自動増殖しつづける文明社会を拒絶し、作為的規定に満ちた従来の美術概念を排斥して、それらから太陽へ、自然へ、原初の営みへ、原初の祈りへと脱出し飛翔していったのです。特にゴーギャンにとって野性とともにあるタヒチの社会、人間生態は、人間の原初の姿、人間の営みの原初形を告知してくれるもの、人間のプリミティブなフォークロアと感じられ、それこそが表現すべきもの・ことになっていきます。フォークロアとともに生成してくるフォークアート、アーキタイプのフォークアートが原初の姿をとどめる島に出現していきました。ゴーギャンは文明の毒に気づき、毒を拒絶し、模索し、表現の原初形の啓示を受け、冒険へと向かいます。気づき―模索―冒険―実践の筋道は時代や場所を超えて表現者の本道でした。

生気を喪失させる人為的文明社会を嫌って、文明に毒されない野生へ、野性へと脱出をはかる表現者もいます。その一人がフランスのアンリ・ルソーです。税関吏として律義な拘束生活を余儀なくされていた彼の息抜きは日曜画家、アマチュアの立場での絵画制作でした。正統とされる絵の学習も訓練もないままに始めた絵画は、当初は現存作品の模倣でしたが、それになじめず、植物園で親しんだ熱帯の植物、動物園で見とれた猛獣や猛禽の生態が脱文明へ、脱アートへと誘いかけました。この野生、野性味こそ立ち返るべき原郷ではないか、アマチュア画家は自分の表現の拠点をそこに見いだしたのです。市民生活の約束に生き、すでにつくられた路線に乗っていた自分から脱出し、剝奪されていた生気を取り戻し、ジャングルの奔放な生態や猛獣たちの野性味を画面に塗りたくっていくうちに、野生マンダラが出現してきます。その表現は、学び計算された野生、意図されたプリミティブ志向ですが、文明社会の閉塞感を気づかせるには力がありました。生に元気なく、人間や社会にも精彩なく、文明や人知、人工物に活力がないなら、それに対抗するもの、それを拒否するものを見いだし、それを表現しながら、生気を奪還していくのが生きること、表現することでしょう。ルソーにとって熱帯は生気あふれるところであり、野性は生気の源泉でした。科学技術依存が蔓延する現代にあっては、ルソーの表現よりもさらに放胆な野生と野性味の喚起が求められているのではないでしょうか。プリミティブはつねに生命を賦活してくれる表現変革の源泉です。SDGsの一環として、熱帯圏のフォークロアを再生し、それと呼応しながら熱帯フォークアートを新生するなどの冒険はいかがでしょうか。

アンリ・ルソー　熱帯（雨林）風景、プリミティブなものへ。『豹に襲われる黒人』（1908年）
（出典：アルベルト・マルチニ／富永惣一監修『ファブリ 世界名画集 40 ルソー』平凡社、1971年、13ページ、図13）

ニューヨークの地下鉄のドローイングから生まれたアールブリュット風アート。キース・ヘリング『キリストとマリア』（1987年）（出典：美術手帖編集部編『現代美術――ウォーホル以後』美術出版社、1990年）

日本では身近に森山や河川があり、海岸線が豊富なため、野生や野性味への憧憬は希薄でした。文明への呪詛も弱く、汚染文明、汚濁メディアに対決するということも自覚的ではありません。細工や軽い着想、ノスタルジックな感情で田舎の風景や民俗事象、土俗風物に親近する制作者も少しはいますが、ゴーギャンやルソーと同様の流れに乗る表現者など出現の余地もありません。大胆な線や色で浮世絵調を強調する片岡球子は、泥絵のような富士山、浮世絵師肖像などを展開して、フォークロアとのつながりを予感させはします。草間彌生は民俗の地絞となった紋様、水玉でフォークロアとの接点を保ち、またカボチャなどの身近な野菜の造形で野性ではなく土俗風へ、土着性へと誘いかけます。しかし、土着性も都市化、メディア化され、カボチャも畑での生産物でなくキャラクターになり下がってしまった感じです。奈良美智は出身地の津軽の空気を漂わせて土地と結び付く制作を多く試み、都会と田舎との橋渡しを演じ続けています。都市化されていく田舎のフォークロアの表現も大事ですが、その潮流にあらがう試みも忘れてはならないのではないでしょうか。都会と田舎、メディア化文明と土着民俗、それらを自分の問題として葛藤させ、そこに物語、フォークロアを聞き取り、フォークロアの語りと協調して、都市的で土着的なフォークアート、土俗的でメディア的なフォークアートが模索されていくならば、新しい制作世界が期待もされます。同様のことはつねに冒険と実験に挑戦しつづける村上隆にも期待できるでしょう。カオス状況にある現代と社会を見つめ、気づき、告発し、挑発し、やじ馬根性でちゃかし風刺の種にする、その自在かつ毅然としたスタンスが村上には持続していて、そこに文明社会と既成アート界をあざ笑い、挑発し、破却していく方向が見えてくることでしょう。またしても気づきから冒険、実験です。

ともあれ、既成概念、旧アート美学、個性尊重など、感性や思考、発想を汚す拘束から脱出しなければなりません。拘束に気づき、まとっている知識や常識、感覚や感情など、気づきにくい拘禁衣を脱ぎ捨てることです。さっぱりした原初の自分、プリミティブな私、野性や自然性をもつかもしれない自分に気づくことです。私たちはいま、科学技術やそれによる進歩発展志向に病的に依存しています。それに気づき、それから脱することを生の原点、表現の出発点にしたいものです。アートは本来、自由で自在のものです。我流に試みるものです。たとえば、キース・ヘリングの落書きドローイングのように。とらわれない野性、プリミティブやアール・ブリュットの方法と姿勢と通じ合うものです。さあ、自分解体です。そして、それらを体得してファインアートの変革へ、です。

［ワークショップ課題］

①プリミティブは表現の原点。自分の内なる野性プリミティブから自画・仮面・ボディーペインティングを出現させよう。

②既成の芸術観を排し、描く、炸裂するという衝動から自分のアール・ブリュットを掘し出してみよう。

③民俗音楽・舞踊、民族衣装・染織などと協働してグローカルなフォークアートを創造しよう。

④歴史と現代、古典と創作のコラボで新壁画や屏風絵を創造しよう（園と館のフォークワールドづくり）。

第2部

フォークアートの実践フィールドへ

先年、ペルーで多数の地上絵アースアートが発見されました。大地は生の場であり、表現のカンヴァスだったのです。そうだ、大空も大海大河も、都市空間も生活世界も、スカイアート、ウォーターアート、環境アートなどへと誘いかけるカンヴァスでした。空に舞う大凧や鯉、水中に踊る妖しい人形《ひとがた》や雛、渚を埋める大漁旗や祭りののぼり、壁面やストリートを異化する落書きや春画など、カンヴァスはアートの変革を求めています。既成アート概念を捨て去り、せせこましいカンヴァスを拒否し、生の場そのものをカンヴァスにして、自分を、社会を、現実を、それらから湧き出るものを、ぶちまけるとき、いまなお個性にとらわれているアート界は、表現の根本である大胆さ、刺激性を失って退場していくでしょう。個人による前衛の時代は終わり、個人主観を超える集合と連帯による共同主観が新しいカンヴァスを要求し、つくりだしていくのです。パーソナルを内に抱いたソーシャル人間が、社会内にあって、自他を関係づける生を問いかけるとき、既成アート観は後退し、フォーク力に基づく新しい先端的フォークアートが浮上してくるでしょう。生きる場所が主フィールドです。生の場所に育まれたフォークロア、その具象化であるフォークアート、それが前衛、先端表現です。陳腐な個性と決別し、フォークという野性味も無名性もある生の場に飛び込んでみましょう。フィールドは珍奇アート、上手下手《げて》に満ちた世界です。

第7章 祭り・イベントへ
——地域社会・文化を演出するフォークアート

京の祇園祭宵山を楽しむ

〽コンコンチキチン　コンチキチン、この囃子に招かれて八坂神社から四条大通りを西へと向かう足どりも軽くなります。七月十六日、祇園祭の山鉾巡行の前日、奉納芸を見たあとの夕暮れ時です。八坂神社境内で献茶祭、鷺舞、祇園田楽、石見神楽など、もとはフォークダンスでしたが時代を経て儀式ばった芸能を見てのあとです。四条通りは、夕刻を追って混雑を増していきます。十六日の宵山《よいやま》は八月十六日の大文字焼きと並んで京の夏の夜の最大の祭りで、氏子が住む氏地あげての夜のショーです。

河原町通りを過ぎると西方に長刀鉾や函谷鉾が見え、駒形提灯が招き、鉦や笛、太鼓の音も間近に響いてきます。路地からは「ちまき、いかかですか」と呼びかける子どもの声も流れてきます。浴衣姿の老若男女が街から日常色を消し、迎える人たちの表情も訪れる人たちの表情も刻々と宵の風情に変わっていきます。街がハレの夜、特別な催事場と化していきます。

宵山の楽しみは、街と住民と参加する人たちがつくりだす非日常時空を体感することのほかに、居並ぶ山鉾に近づくことで、祈りと願いが込められた飾りを目の当たりに見、また山鉾の演台に上がって囃子方のもてなしや、演奏に接し、さらに下からははっきり見えなかった山鉾の人形や天井飾り、掛け装や衣装を手に取るように見られることにあります。山鉾は時代や氏子たちの好み、意気込みを映し、名匠、工匠、素人も含め、時代の技術の結晶です。氏子たちが育て守ってきた歴史遺産です。染織の都《みやこ》ならではの染織工芸の見事さ、絵画に工芸に彫刻に、さらに音曲に芸能に、全国の模範でありつづけてきた都の技を山鉾で競い合い、しかも技を外に惜しみなく披露しているのもゆかしいです。動く美術工芸館、美を演出するデザイン博物館といわれるように、山鉾は氏子たちの美のセンスを競い合う屋台であるというのが住民たちの誇りでしょう。

7月16日 夕、祇園祭の宵山を演出する駒形提灯、鉦や笛、太鼓が山鉾街へと誘いかける
（出典：祇園祭編纂委員会／祇園祭山鉾連合会編『祇園祭』筑摩書房、1976年、撮影：中川邦昭）

長刀鉾に近づきました。鉾の前掛はペルシャ華文緞通《どんつう》、ペルシャ絹緞通、「見送り」と呼ばれる裏掛は中国の明のころの雲龍図綴錦、胴掛は十八世紀ごろのトルコ華文緞通と中国の玉取獅子文緞通など、近世の町衆たちの進取の気性と心意気が伝わってきます。贅を尽くした装飾は下水引《みずひき》にも見られます。江戸中期の狩野派の大森捜雲下絵による緋の羅紗地にギリシャの刺繍です。染織工芸だけでなく、それらを留める金具も金工、彫金の技と意匠が尽くされ、夜の灯や巡行時の陽光に当たるとき、自ら輝き、緞通や刺繍を引き立てます。染織、金工、絵師、彫師たちの技の競演、そしてコラボレーションです。

鉾正面を飾る蟇股《かえるまた》の彫刻、裏側の蟇股の彫刻、ともに近世後期の、紀広成下絵、片岡左輔作で、よく目立ちますが、対照的に、主張しない技の披露もあります。鉾の屋根裏には四条派の松村景文の群鳥図と飛鶴図と孔雀図が描かれていて、屋根裏垂木には飾り職人、錺屋善七の四季草花の金細工があります。天井の格子には赤地に銀鋲の二十八宿の星辰、欄干には菱川清春下絵、錺屋善七作の龍と虎から鳥と蛇など三十六禽図が施され、目立たないところにあって、鉾に込めた代々の思いの深さと、町人・職人たちのフォーク力、あそびごころの豊かさをしのばせてくれます。

長刀鉾は染織、陶芸、金工、彫刻師、画師たちの精魂込めた技の競演・合奏です。それを土台から支えるのが鉾を組み立てる大工工匠であり、鉾町の住民たちです。それらの競演と協働をさらに盛り上げ精彩づけるのが鉾上に居並ぶ囃子連です。鉦・笛・太鼓でコンチキチンとはやし謡うことで、鉾町全体が日常の親密さを超えて聖化され、神人一体の異空間をつくりだしていきます。十六日の宵山では身辺にそれを感じ、十七日の巡行ではハレがましさのなかにそれを共感することになります。祭りは日頃の思いと培った技芸と芸能の合奏効果で、神と和して地域を異化し、生を刷新していくトータル・フォークロア、総合民俗伝承であり、アート、ソング、ダンスのほか、ハレの飲食や衣装、浴衣、ハッピ、氏地ごと家ごとに飾る灯明や引き幕、のぼり幡など、個人技から共同体演出まで、声をかけ合って協働するイベントです。祭りは地域おこしのために執り行うものではなくて地域の誇り、地域の表情そのものなのです。地域のなかに生きていく人たち、そのフォーク力のたまものです。人々と諸芸を練り合わせていくフォークロアはその根本のエネルギー源でした。

京の職人芸の粋、フォークアート山鉾

宵山のにぎわいのなか、鉾や山に上がって個々の細部を見るという贅沢な体験をしました。技芸ごとの印象、アート力をみておきましょう。

祇園会（祭）は応仁の乱で中絶、三十年の空白を経て氏子たちが復興しました。十六世紀といえばヨーロッパを中心とする世界史では大航海時代にあたります。オランダ、ポルトガル、次いでスペインやイギリスの船が世

界の海を駆け巡っていました。前掛けや胴掛け、見送りにペルシャや中国の染織、刺繍が転用され、豹や虎の皮を掛けた山鉾が絵巻や屏風絵などにも見えるように、ヨーロッパから染織を中心に贅沢品が日本にもたらされました。函谷鉾、鶏鉾、鯉山、白楽天山、霰《あられ》天神山、芦刈山、油天神山などの見送りや胴掛けに、綴織や毛綴織品が用いられています。刺繍も多く、保昌山の伝円山応挙下絵「仙人文様胴掛」、八幡山の「金地仙園文様水引」、郭巨山《かっこやま》の「黒天鵞絨《びろうど》福禄寿文様後掛」、芦刈山の「鳳凰牡丹文様見送」などです。緞通では著名なペルシャのほか中国やエジプト、コーカサス産のものまでが利用され、強烈な色と文様で異彩を発揮しています。たとえば鶏鉾の胴掛けはペルシャ、月鉾の胴掛けはコーカサス、北観音山の胴幕はトルコ、前掛けはエジプト、南観音山胴幕はペルシャというふうに、舶来品が山鉾の前後左右の胴を飾っています。三十基を超える山鉾の掛装はもちろん織の都、京都の製品が大半ですが、外国製の織物は上等の地元産のなかにあって異彩を放ち、山鉾全体に動的律動と調和を演出しています。京の町人たちには外の世界の異装や異風を取り込む好奇心と進取性があり、近世初期、犬者や六法者と呼ばれた侠客の闊歩を許すなど、洗練と大胆さをあわせもつ町人感覚がありました。フォークロアをわがこととして生きることは、共同体内にあって互いに協働して生きていくうえで必須の心がけです。

緞通と競い合って更紗《さらさ》も山鉾を飾ります。インド、オランダ、フランスの製品が固有の風合いをみせ、前掛けや胴掛けのほか敷物にも利用され、日常にも入っていきました。おもしろいものは外国産・国産を問わず取り込み、競い合わせ、引き立て合わせていく、それはまさに共

進取と趣向を競い合う山鉾の風流。「毛綴錦西洋人物絵文前掛（スペイン）」（16世紀、函谷鉾、重要文化財）（出典：前掲『祇園祭』、撮影：中川邦昭）

同体のメンバーの営みと同じです。フォークロアを大切にするものは、個にこだわらず、自分を他との関係で見、自分の出どころ出番をわきまえています。フォーク力がつくるソーシャル感覚です。

　山鉾の衣装・装束は染織の都、しかも山鉾町がその中心であるだけに見応えがあります。特にご神体の装束は職人芸の至極です。たとえば、古いものでは芦刈山、北観音山、黒主山の旧衣装は経（縦糸）の紺、緯（横糸）の緑の糸で織った緞子地に金箔で文様を織り上げたもので、材料を見極める目、技の力、職人の審美眼と創作力が集約された逸品です。占出山《うらでやま》も「萌葱紋紗霞牡丹文水引」をはじめ多くの貴重な衣装を保有し、それだけで染織ギャラリーになる充実ぶりです。

　装束や衣装をつくる染織業に次いで、宮大工も含め金工、木工も都の主生業です。山鉾にもその技はふんだんに表現されています。山鉾を組み立て飾る装飾具には天幕、上水引、下水引、前掛け、見送り、破風金具、ご神体・天王装束、胴掛け掛金具、欄縁金具、蟇股彫刻、棟、棟金具、懸魚《けんぎょ》、垂木金具、屋根裏絵、天井金具、柱金具、欄隅金具、欄縁塗、見送り房金具、帯金具をはじめ、下の車軸、車輪から屋台、屋根上飾り物、神木・神体、鉾、山などがあり、尨大な種類の金細工、木工の技が隅々のディテールまで飾っています。錺金具《かざりかなぐ》類だけでも破風飾、軒表飾、紅梁飾、軒桁飾、四本柱飾、欄縁隅飾、隅飾房掛け、胴掛け上飾、見送り掛、見送り裾房飾、見送り掛鳥居飾、御幣串飾、染織品の掛け飾金具、建築金具など多様多種です。職人たちがこつこつと仕上げた金工芸品＝フォークアートが山鉾を守り、明かりを受けて輝きながら、控えめにその技を見せる仕組みです。職人

美のまちならではの贅沢。円山応挙『破風天井軒裏絵金地彩色草花図』（天明中辰仲夏、月鉾）
（出典：前掲『祇園祭』、撮影：中川邦昭）

芸の真骨頂です。山鉾は職人芸ずくめで、技能フォークアート館です。黙々とフォークアートに取り組む職人に共鳴するかのように、山鉾町と縁故ある絵師が下絵、意匠を提供しています。松村景文、今尾景年、幸野楳嶺、菊池芳文、山鹿清華そのほか多くの絵師の作品を、彫金、鋳金、蹴彫など職人の自信の技で立体化し新生させていきます。絵師の町、職人の町ならではの協働制作、コラボの成果が山鉾の錺金具にも見て取れます。

絵師には氏子地に居住する者も多く、円山応挙、呉春、与謝蕪村や竹内栖鳳など、前述の錺金具の下絵を提供した絵師も含め、四条派を中心に大いに協力的でした。そういう著名な絵師の作品が、前掛けや胴掛け、見送り、水引、欄縁飾のほか、天井や屋根裏、軒裏の板など、見えにくいところにも用いられているのです。絵師の心意気も快いですが、絵師と祭りを執り行う町人たちとの交歓もすてきです。

山鉾にはさらに見落としてはならないフォークアートがあります。作者があっても作者を離れてこそ意味をもつもの、ご神体ともいうべき舁山《かきやま》人形（偶人）です。巡行する山、舁山の上に安置される偶人をはじめ、曳山《ひきやま》や鉾の上にも偶人は、その山鉾のテーマを示すシンボルとして安置され、見上げる人はその姿に向かって合掌します。偶人（人形）に託されるテーマ、物語、神話、逸話は日本の神話、武者伝説、中国の故事逸話で、つくられた時代や社会の町人たちの常識や、フォークロアもしのばれます。周知の歴史譚からは聖徳太子（太子山）、弁慶・牛若（橋弁慶山）、大友黒主（黒主山）、藤原保昌（保昌山）、白楽天・道林禅師（白楽天山）、郭巨（郭巨山）、伯牙（伯牙山）、神々からは天照大神、イザナギノミコト、戸隠明神（岩戸山）、神功皇后、住吉明神、鹿島明神、龍神（船鉾）などがご神体として祭られています。ほかに稚児人形も菊丸（菊水鉾）、嘉多丸（函谷鉾）、稚児人形（鶏鉾）など、あどけない顔のままに神格化されて飾られています。木工彫師と町人たちの、当時知られていた伝承譚、フォークロアの会話もしのばれます。

宵山を歩き、山鉾のテーマ、技法など、豊かで多彩なフォークアート群について長広舌をしてしまいました。山鉾にはまだ語ることが多くあり、専門家と職人、ときにはアマチュアも加わった協働のフィールド現場にも向き合うことができる、まさに美術と工芸と建築の粋を集めた動く博物館です。この贅沢ができるのも都ならではので、それを支え演出する町人あってです。

贅沢な催しといえば、山鉾見学と離れたところにもあります。近年は少なくなりましたが、近世から町家の誇りのようにおこなわれてきた催しで、祇園祭の期間限定の屏風祭です。町家に伝承されてきた自慢の屏風を蔵から出して座敷に飾り、町の人たち、訪れる観光客に見せます。催す者、見る者、もてなす者・もてなされる者、ともども親密な好誼を交わす道楽です。このゆとりが祇園祭の空気でもあり、町人知、協働知の所産です。

山鉾から街へ、路地へと入っていけば、そこではまた宵山の別の声、音曲、表情で迎えられます。浴衣姿の子どもたちがかわいい声で厄除けのちまきを売り、冷たい飲み物や食べ物を歌声とともにすすめます。背後にはそれぞれの町の鉦、笛、太鼓が聞こえ、子どもたちの声・しぐさと相まって、宵山の町を、路地を、普段とはまったく違うあそび空間、生活臭がない別の世界へと変えていきます。子どもから参加者までみんなが別世界の出演者、演出家になっているのです。宵山は山鉾を中心とするハードウエア、音曲・囃子・売り声などのソフトウエア、それによって空気と表情を変えていく町や通り、路地のシークエンス、それらを工夫しもてなす住民たちと

7月17日、さあ本祭、山鉾巡行。月鉾
（出典：前掲『祇園祭』、撮影：中川邦昭）

それに応える訪問客たち、それら多様多重のものが混然一体となってトータル・フォークロアを創出していきます。雑踏喧噪のなかに洗練された上質のもてなしとあそびがあり、祭りがカミガミ（神社・お旅所・神輿）や場所（氏地）、人（町民と客、プロアマや主役裏方など）の和気藹々の協働と交歓をつくり、町全体を模様替えして盛り上げていきます。町に流れるのはフォークロアであり、さまざまなフォークアートが諧和して表現をさらに生気づけていくのです。そのことが宵山歩きで実感されることでしょう。宵山逍遥はフォークアート再発見の導きです。

パフォーミングアートとしての巡行

宵山の路地、ちまきや冷たいものを売る子どもたち
（出典：前掲『祇園祭』、撮影：中川邦昭）

いよいよ十七日、祇園祭のクライマックス、山鉾巡行です。この日まで多方面からの準備が、神社関係者、氏子を中心に、市、府、警察などの行政部署の協力、囃子方、手伝方、大工方、車方、鉾・山の曳手・舁手、子どもたち、ちまきづくりなど裏方をとりしきる町衆の女性たち、それら多くの老若男女の協働によって積み重ねられてきました。市内巡行によって祇園祭がもつ歴史的・現代的、社会的・文化的意味だけではなく、フォークロアとしての祭事のあり方のモデルが、氏地に京都に、氏子に市民に、内外の観光客に、多彩なパフォーマンスとともに披露され宣揚されるのです。巡行は氏地を清め、住民たちの心身を年々よみがえらせ、氏子氏地という共同体から邪気・悪霊をはらう

神事で、八坂神社のカミと町ごとのご神体と氏子と山鉾と全参加者が演出する厳粛かつ派手なパフォーマンスです。参加協力者はもちろん、見物する人もその熱気を受けて心身のよみがえりを覚えることでしょう。山鉾との宵山での親密な交歓のあと、巡行を見守る声援を通して、祭りのモデルがフォークによるアート、ソング、ダンス、パフォーマンスとして巡行に集約して表現されています。全国津々浦々に祇園会があり、京都の山鉾のご神体人形（偶人）がモデルとして取り入れられているのも、土地の健全と浄化と安泰を願い、住民の不浄をはらう願いが都と共鳴しあうからでしょう。祭りはトータルフォークロアの典型で祭りを彩るフォークアートはその華やかな共演者でした。

ある時期、祇園祭は宵山と巡行で終わりとされていました。近年「あとのまつり」が復活し、七月二十四日から執り行われています。「あとのまつり」の主行事は織物の都らしい趣向と贅を尽くした装束の男女の花傘巡行です。八坂神社の神官、花傘巡行の旗、神饌行列に続き、花傘と獅子舞が祇園太鼓にはやされて進みます。寺町通り御池通りから四条お旅所に向かい、四条通りを八坂神社へと向かいます。「あとのまつり」の行列は芸づくしで、子ども神輿のあと、鷺舞、祇園田楽、久世六斎《くぜろくさい》念仏がお旅所など要所で披露されます。続いて宮川町と祇園甲部の舞子たちの踊り子屋台、古式の馬長が華やかに巡行し、万灯会のあと、南観音山の囃子が最後を締めて八坂神社に入り、拝殿前の石畳で舞踊、新旧の芸能を奉納します。芸事芸能の盛んな都らしい芸好きによる芸のお披露目です。「さきのまつり」の町あげての興行と少し趣が違い、芸仲間が誘い合っての芸の奉納、芸事芸能の発表会のそれです。

神事に芸の奉納は不可欠です。たとえば沖縄では「四月願い」や「豊年祭」など島あげての大祭では女性神司による神事のあと、斎場の御獄の広場でいろいろな芸が競い合うように奉納されます。直会《なおらい》と同じく神人一体を願って神をことほぎ神を喜ばせるもてなしです。祭りによって音曲もドラマも舞踊も飾り付けも次々と工夫されていきます。それは古典ギリシャ期から世界共通の流れです。芸能芸術は、祭式とともに、祭式のなかから生まれたものです。祇園祭もまさに音曲や舞踊、囃子や語り、細工や飾りや絵画など、芸事芸能の生みの親であり、祭式とそれらは互いに育て合い、守り合うものでした。諸アートの源泉としての祭りの意義を現代の目で見つめ直したいものです。神への芸奉納＝アートパフォーマンス、氏子と氏地の芸による浄化で祇園祭は終わりました。

祭りをつくりもり立てていくものといえば、住民が頼りとし誇りとするカミがあり神社があります。八坂神社は古く御霊社として悪い霊を鎮める社とされ、特に夏に多い悪疫病魔など怖い霊を封じる験力あるところと、住民からも為政者からも信じられていて、御霊会は平安時代初期からおこなわれてきました。御霊会・祇園祭の長い歴史には戦火による中断がありましたが、今日に至るまで脈々と、特に近年は非常な努力・工夫を町内はもとより公官庁に要求しながらも、維持されてきました。祭りを継続し維持するのは神威だけではなく、町人力、市民力、フォーク力です。為政者たちは必ずしも頼りにならないものであることを、歴史の変転のうちに知らされてきた都の住民たちは、町は自分たちで守り維持し発展させるものと自覚し自負して育ってきました。住む場所＝祇園社の氏地であることを誇りに、氏地に暮らすことを喜びとし、みんなで守り育てようとする共同意識、集合連帯知が定着していきます。京都は市民意識の最先進地です。そこに進取の気風、協調性、協働精神が根づき、住民間に平等意識や、上の権力者を恐れない批判精神も定着していきます。祭りはそれら長期にわたって培ってきたフォーク力、住民力を発揮するハレの場でもありました。

『くじ罪人』という狂言があります。山鉾町の頭役《とうやく》にあたった主人は町内の人を集めて、今年はどんな山を出すか、相談を始めます。頭役として鯉の滝のぼりのつくりものはどうかと提案します。みんなが賛成しそうになると、下人の太郎冠者がそれは鯉山がすでにやっていると口を挟んで否決。次いで五条橋上の牛若弁慶のつくり山はどうかという案が出、また太郎冠者が橋弁慶山があると注意して否決。次々に案が出、可決されそうになると冠者がこれまでの失敗例をあげるので、ことごとく否決。主人が冠者に引っ込んでいろと叱りつけると、町内の者がとりなし、世間の情報に通じている太郎冠者の案を聞こうではないか、ということになります。冠者は山の上に賽の河原をつくり、鬼が罪人を責める場を提案。渋面の主人をよそにそれに決定。さっそく鬼と罪人、囃子方などの役をくじで決めることになり、鬼は太郎冠者、罪人は主人と決まります。不服の主人をなだめ稽古が始まります。日頃と上下関係が逆になって、舞台はギクシャク、笑いと混乱をはやしたてながら進みます。近世初期の京の町内会の雰囲気、主人下人関係、町内の様子などがよみがえってきます。祭事になれば上下関係はなく、祭りが準備段階から町内を一つにまとめ、町をあげ集合知・協働知をはたらかせて趣向を盛り上げていく様子の実演です。祇園祭は町の連帯・自治を推進し、住民の和を育てることで物語＝フォークロアを育て、土地の表情を育てあげていきました。

祇園会ははじめは簡素なものでした。御霊を鎮撫する神事中心で、三基の神輿に十三本の馬上鉾、五頭の神馬が従い、獅子舞と巫女の神楽、田楽の芸能が続きました。馬上役は洛中の富者が務めるなど、当初から官祭でありながら町人も役を担い、踊りや囃子、見物として参加しました。上下融和し、神事と芸能が混和し協調しあうのが祭りの基本形です。

『くじ罪人』にみるように、山鉾に趣向がこらされるようになるのは中世半ば、町人の自治意識の高まりからです。権力者の無責任さを知る町人たちは、カミや神社と手を結んで、自力自律、自作自演の祭りへと育てていきました。そこに話し合いによる町の自治が育ち、上下を問わず、貧富やプロ／アマを超えて、町に祭りを核に結《ゆい》＝集合連帯が結ばれていきました。近代になってつくられた神話のカミガミを神体とする神社や国家神道に基づく神社には、こういう住民の自治に支えられた自律的祭りは育たず、特異の人類学者、民俗学者、生態学者として知られる南方熊楠が明治政府の神社合祀令を暴力的悪法として糾弾しつづけたのも、神社と祭りの地域的・歴史的意味を知悉していたからでしょう。郷土の氏神や産土神、鎮守社には土地の文化遺産、フォークロアが集約されていて、地域の連帯と結の集約拠点とみていたのです。神社と祭りは地域づくり力、地域力、住民力を涵養するソーシャルキャピタルであり、ハードとソフトをあわせもつ地域社会のコモンズでありつづけてきたのです。協働するコモンズを支え、またそこから展開していくのがフォーク力であり、種々のフォーク芸能であり、フォークアートだったのです。

フォークロア、フォークアートを演出する

フォークロアを聞き楽しむ風土に、地域と住民たち、そこに生を営む動物・植物など、すべてのものを慈しむ風俗・文化が育ちます。その風土色を表現するソングやダンス、アートなどさまざまなフォーク表現が、プロ、アマの隔てなく楽しまれてきました。その媒介の中核に祭りがあったのです。祭りは個々人の内面に向かわせるというより、人を外へ、地域へ、歴史へと向かわせます。土地・場所にあってこそ、自分の生もあり、能力も役立てられる、そういう外向きの気持ちを育てるのも祭りの底力で、共同集合知への参加を促すフォーク力でした。その力によって、現在まで各地に祭りが、フォークロアとともに伝承・継承されてきたのです。北は津軽地方のねぶたから南は八重山諸島の「アカマタ・クロマタ」まで、大阪は天満祭、浅草は三社祭、江戸っ子は神田祭というふうに、地域のシンボルとして地域を語り元気づけてきました。広い地域の大祭と並んで小地域の小祭も、南方熊楠が死守したように、消してはならない土地の歴史文化遺産、もり立てていくべき社会遺産コモンズです。それら無数の小祭・大祭をもり立て地域を活性化しようと、住民たちがいかに多くの語らいをし協働してきたか、祭りにフォークロアの結晶をみると同時に、祭りへの思いや努力の跡をみることも重要です。住民たちは、執行側・見物側・裏方など何らかの役目で祭りに関わることを暗黙のうちに自覚していて、祭りの大小とりどりの仕事に参加協力するのが居住民の心得であり資格でした。

祭りは地域あげての大仕事です。祭りでは、演劇と同様に、大舞台や小舞台、大道具や小道具が、意図や規模によってさまざまに求められます。フォークアートの立場から、現行の祭りの小道具をみても、愉快なものからもう少し工夫したら、というものまで多彩です。小道具づくりには職人芸はあってもプロ意識はなく、素人の手仕事めいたものが多くあります。祭りに付き物ののぼり幡や旗、明かりも祭りの基本アイテムで、提灯や灯明、松明、参加者が持つ扇や団扇から浴衣やハッピ、印ハンテンや鉢巻きやかぶりもの、氏子を示す家々の引き幕や

祭り灯明、外飾り、祭りを盛り上げる花火、照明、映像・画像など、すてきな小道具からちょっと工夫がほしいかなというもの、新調が必要なものまで、多様雑多な小道具であふれています。大道具でも山車鉾、屋台装置の改造が待たれているものもあります。神社参道や境内の照明やぼんぼり、のぼり幡もアイデア次第ではもっと祭りを生気づけるでしょう。祭り用の風船や吹き流しなどで祭りの空気を変えることもできます。祭りは時代・社会の好み、土地の気分を映すイベントです。地域おこし、地域社会の結束、地域文化の再掘、伝統の再確認と新生、ローカル色の宣揚、地域の新しい顔づくりなど、祭りの目的によって大道具・小道具の規模も作法も違ってきます。地域に根ざし、住民の共同感覚、協働の技術をもとに、外部とも呼応しながら、地域の人たちが連帯するとき、その場所特有のフォークアートが生成してくるでしょう。伝統のうえに新しい祭りを構想し、それにふさわしい祭祀具、祭りアート、フォークアートを大胆に工夫してみませんか。大胆さや新鮮さは祭りそのものが、祭りの参加者全員が、強く求めているものです。アート革新は大胆さと新鮮、鮮烈さが武具です。革新の出発点は小さくとも新鮮、鮮烈でなければならず、フォークアートは地味に見えながら既成のものを乗り越えていくものです。

［ワークショップ課題］

①地域の祭りののぼり幡、旗（大漁旗など）、団扇、祭り浴衣、ハッピなど新調してみよう。

②イベント（大学祭など）のメインをねぶた式に絵画とし、トータルアートを試みよう。街ぐるみアート化へ。

③祭りの山車飾りや人形をつくり、氏子地の飾り付けもデザインし、地域をもり立てよう。

第8章

神あそび・仏教ごっこ

――アートの原点、願いと祈りのフォークアート

神さまだより・神さまごっこ

山が向かってきます。神さまを擁する山が氏地のなかを通っていきます。かつぐ山、綱で引く山、舁山、曳山に人々は掌を合わせます。山の屋台の上、屋根には山のシンボルである人形（偶人）が立ち、さらに人形よりもずっと大きな松、ときには榊の生木が立っています。一本の木が山を表象し、ご神霊を宿していて、山車は祭りの、特に各町内の主役・主神として合掌され、祈念されるのです。前章でみた祇園祭では山鉾は八坂神社のご神霊をいただいた各町の神山でした。全国で営まれる祭りはたいてい中央の大社・名社の分霊が勧請されたものか、土地特有の氏神・産土神であっても中央の流儀を取り入れたものが多く、山車・屋台は祭りの主役であり、共同体の神の降臨場でした。

山は神聖なものです。山は地域のよりどころ、シンボルです。なぜか。私たちは意味を見いだせない、のっぺらぼうの空間には安住できません。上や下、右や左などの方位、聖地や俗地など質の差、明や暗、乾や湿など感覚差を感じ取ることで、場所は分節され意味を帯びてきます。二十世紀の傑出した宗教学者、ミルチア・エリア

ーデはこう説明します。

空間のある部分は質的に異なっている。聖なるが故に強力で有意義な空間がある。そして非聖なるが故に構造も形式も意味ももたない別の空間がある。（略）空間の非物質性という宗教経験は、世界の創設に匹敵する原初的体験である。

（ミルチア・エリアーデ「世界、都市、家屋」『オカルティズム・魔術・文化流行』楠正弘／池上良正訳、未来社、一九七八年）

遠い祖先は居住地を占って定めるときには、全感覚を使って場所を読み取ろうとしました。生業上、安全上からの土地の良否、土地が醸し出す雰囲気、霊気を感知し、水や土の質、植物や動物の姿、気配、生態を観察し、さらに土地そのものが示す地勢地相、空気の流れや太陽・月・星辰の眺めなど、生きるうえで不可欠の多様な面から考察して、土地を検分し選択しました。その際、のっぺらぼうで平板な土地を意味あるものへと変じさせるものがありました。山です。山がない場所では森、巨樹です。のっぺらぼうの場所に山や森が立ち上がり、それを中心に場所が左右、上下、表奥などに分節されていきます。山や森は場所の中心軸、その土地を意味づけ支える宇宙軸になり、聖化されていきます。混沌地が自分たちの土地へ、居住できる場所へと意味づけられ、コスモスがゆっくりと生じてきます。エリアーデは「人間によって体験される空間は、方向づけられ、従って非等方向である」と繰り返し強調します。日本の場合の近い例から。薩摩では山や森を土地のシンボルにしたところでは森ドンと親しみを込めて祀りました。西郷隆盛を西郷ドンとたたえるのと同じ心意です。ほかにも山、森、巨樹を地域の中心軸・宇宙軸とする場所はいたるところにあり、たとえば琉球諸島の御嶽は山の敬称です。森に囲まれた小さな白砂の空間で、最初の居住地の核、ヘソになったところです。御嶽を聖なる中心軸として村落は下へ、左右へ、本家から分家へと成長していきました。本州でも近江や大和など古くから開かれた地帯では山や森がいまも大切に守られ、土地の中心軸を確認することができます。

私たちの先人は明治政府がつくりあげた作為まるだしの国家神道などに踊らされることなく、山を仰ぎ、神々を、名もなく名を知る必要もない土地の守護神、土地を鎮めてくれるよりどころ、日常と生業を見守ってくれる存在として、親しみを込めて敬慕し付き合ってきたのです。神さまは身近な存在で、遠い先祖が感得して親しく祭ってきたなつかしい隣人でもありました。本来は山も神さまも日本の神話の神々とは異質、神話の神を祀る神社とはまったく異質です。教義など無用、聖なるものを感じさせてくれ、どこか頼りになるところがあるもの、そんな気の置けないものが神、カミだったのです。作為的な神話の影響を受けていない人たちにいまもそういうプリミティブなカミは心身深く残っています。山をカミと仰ぐ生活空間にあって、日常のなかのカミとの付き合い、カミあそびは生の支え、土地との交歓でした。

神との付き合いはアップダウン式ではなく対等です。あそびでは、参加者が平等で、日常の立場や約束ごとを忘れて、ひととき自分や日常を離れ異時空に解放してくれるように、神との付き合いは参加者を脱日常へと誘い、自分解放へと導き、自由平等の異時空にあそばせてくれました。神さまあそびも日常のあそびもともに、脱自分・脱日常によって、自分を、場所を賦活させてくれました。あそび・ごっこは生の妙薬、カンフルです。

私たちは居住地に山をつくり、樹木に森山を託して、身近に神さまあそびをしてきたように、あそびごころで生きることを教えられなくても身につけていました。堅苦しくなりがちな自分や日常をあそびで色づけし解体してみる、しかつめらしいことばかり続いては沈滞していくと知り尽くしているからです。あそびやごっこは日常の制約を忘れさせ、意味も崩してしまい、日常を洗い直してくれます。ごっこあそびが生を生気づけ、生きやすさへと誘ってくれます。ほかとの付き合い、世間付き合いは苦のもとです。神さまは正体不明、神出鬼没、あると思えばありで、そんな不安定や不確定さが神さまの身上で、あいまいさは神さまの絶対条件です。そしてあいまい性は人間存在、人間社会に不可欠の絶対必須要件です。結果を必ずしも期待せず、また結論もないあいまいそのものが神さまごっこのおもしろさ、醍醐味です。そんなたわいない例を身近なところに見てみます。

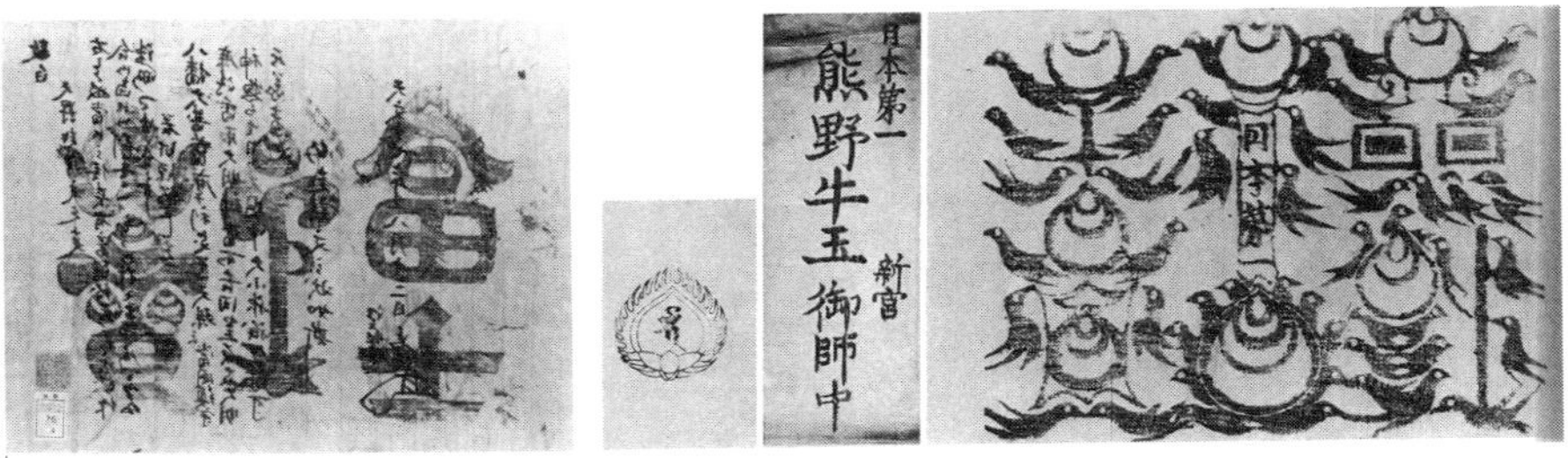

招福除災や祈り、起請文の料紙にも用いられた牛玉宝印2例。右は「熊野山宝印」(〔朱印は宝珠形〕、國學院大学神道資料展示室所蔵)。左は「富士山宝印」(木版刷り、早稲田大学図書館蔵)
(出典:右:国史大辞典編集委員会編『国史大辞典』第5巻、吉川弘文館、1985年、「牛玉宝印」図13、左:同書、「牛玉宝印」図75)

神あそびのプリミティブフォークアート

日常に願いごと・心配ごとがあればどうするか、他人に相談できないこともあり、一人悩むとき、ふと出来心のようにすがるのが神さま、神さまと交感するのが神さまごっこです。神さまごっこで最初に挙げるのは占いです。神の居どころとされる神社に詣で、おみくじを引きます。手にして見るのはおみくじの言葉、絵です。フォークアートの初歩形態で、下手なりに素朴な味もあり、かつ現代風アレンジをそそる表現です。大吉から吉、中吉、小吉、小凶までとりどりの占い結果を貼り合わせると、それに神社で売る人形《ひとがた》も貼り込めば、人間の願望や欲望のマンダラ図になりそうです。千社札も七福神巡りパンフレットなども神社双六のような神さまごっこです。初詣の破魔矢や節分会や夏祭りの配りもの・蘇民将来の護符も少し絵心を加えれば気が利いたフォークアートに昇格しそうです。お守りや護符など洗練工夫すれば携帯小物、アクセサリーとしてユーモアのあるアクセントになるでしょう。フォークアートの風味は、プリミティブな表現を神さまと交換、交歓する利害超越した楽しみにあります。星占いもあそび気分横溢です。

願いごと・祈りごとに関するものなら、もっとすぐれた絵画表現もあります。家内安全や学業成就、健康や交通安全など個人の願いごとを描いて神さまに捧げる小絵馬です。稚拙な色や形の表現に心の純朴さがしのばれ、神さまのほほ笑みを誘うでしょう。しかしこれも、現代風の向上と変化を待っているかのよ

大絵馬に託す豪商の航路安全祈願と気っぷ。『角倉船図』（京都清水寺蔵）
（出典：国史大辞典編集委員会編『国史大辞典』第2巻、吉川弘文館、1980年、「絵馬」図27）

うです。個人でなく共同体、集落、社中、座中などのグループによる大絵馬は、一、二世紀前までは地域社会の共同祈願として神社に奉納され、広く公開されてきました。豊作、大漁、村絵図による村の統合、耕織など地域の生活と生業の発展を祈願する大絵馬は、金毘羅宮や浅草寺など多くの絵馬堂で見るように、地域の共同主観によるパブリックアートとして大切にされてきました。大きな画面に集約される願望は共同体集合アート、フォークアートの傑作です。これも現代風に刷新工夫すれば、壁画や公空間の絵画とは質を異にするアート、共同主観による共同製作という新型フォークアートへと昇格するでしょう。そんな大絵馬が最新のホテルロビーにも掲げられるように美の意識改革をする必要もあります。地域絵馬ギャラリーからより広いソーシャルギャラリーへの進展です。

大小の絵馬で願いを届けるだけでなく、自分や共同体のカミガミを絵画や彫像につくり、身近な親族のように接してもきました。恵比寿天・大黒天・弁財天など七福神の個別画像、七福神そろっての宝船や人形など、通常の人物画よりも表情豊かで、神さまも人間がいろいろと肖像を工夫して描いてくれることを喜んでいる風情です。神さまづくりに次いで、神に仕える動物も見直してやりたいものです。狐、蛇、鹿、猿など神使も時代の表現を待っています。神さまをお守りする役目の獅子や狛犬も、絵に彫像に変革されることを

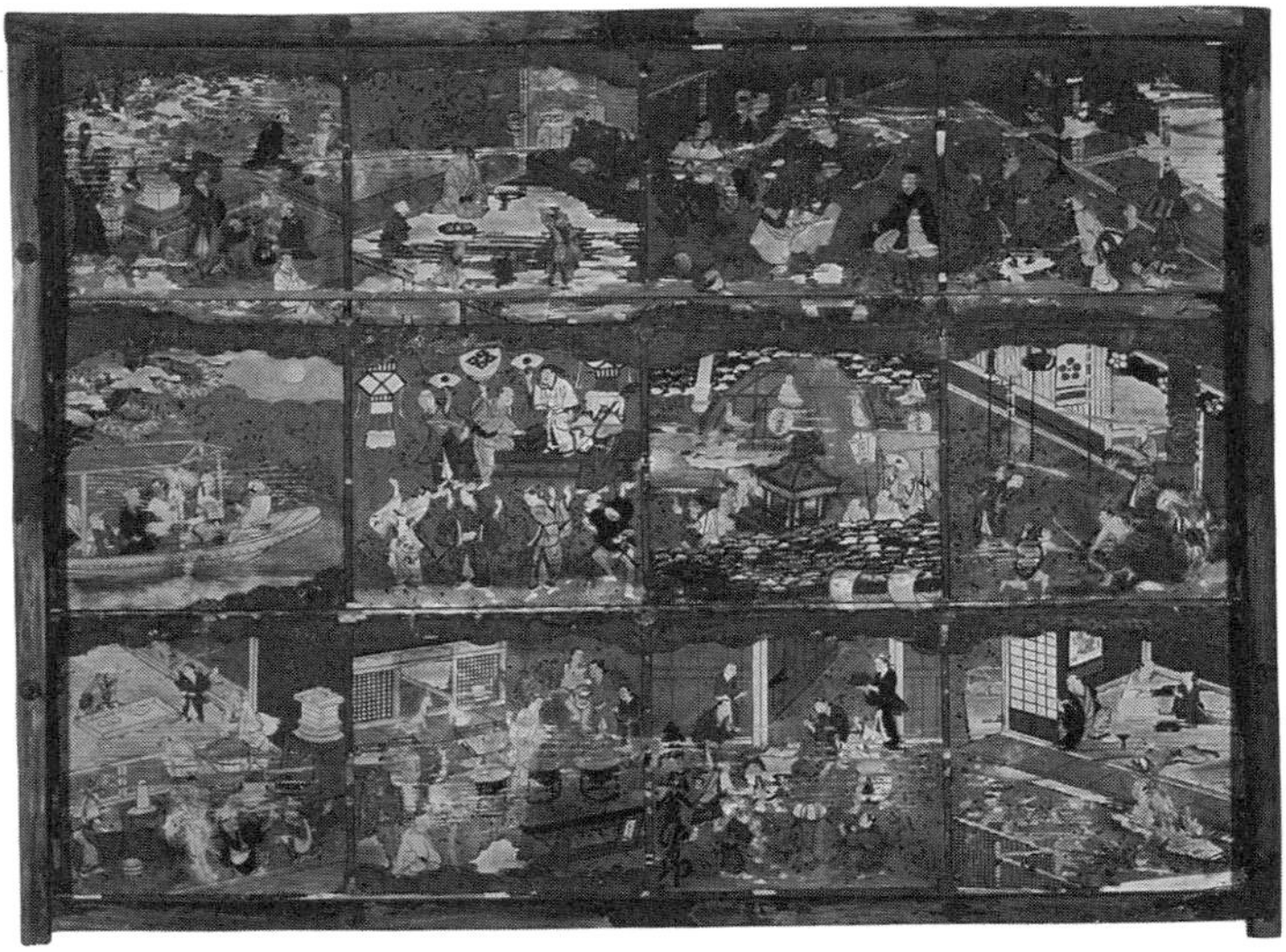

一年の安泰を祈って地域の結集へ。『年中行事十二ヶ月図』（大絵馬、総社市総社宮蔵）
（出典：前掲『国史大辞典』第2巻、「絵馬」図29）

待っています。神さまごっこの大道具・小道具もフォークロアに乗りながら時代の空気と願いを先駆する表現が期待されています。現代フォークアートと伝承フォークアートの協働によるアート止揚です。

神さまごっこは神に願いを訴えながら、いい結果は神のおかげとし、不首尾のときは神のせいとしません。ごっこあそび自体が日常にないご利益で、神さまごっこに打算は不埒の振る舞いです。神さまとの付き合いは非合理・非打算が基本で、それでこそ日常を脱してあそべるのです。合理性と効率性優先の不健全社会に生存を余儀なくされているストレス過多の状況にあって、あそび精神横溢の神さまごっこが文明批評として注目されているのです。シュールレアリスムとしてのフォークアートの実験です。

人は脱自・脱日常のためにあそび、ごっこに興じます。かつて、UFOやオカルトといったスピリチュアルなあそびが流行したことがありました。メディア発信のあそびでなく、フォーク力をたたえた共同主観、経験知、協働知、伝承技などのうえにこそ、現代のあそび、ごっこが新生してくるはずです。現代を刺すスピリチュアリズムごっこの要素も秘めた新神さまごっこ、そしてそこから生まれるアートです。

仏教ごっこがつくった文化、その新生へ

神さまごっこと並行して仏教ごっこもフォークアートの主流でした。日本では仏教は六世紀に請来されました。以後、聖徳太子や渡来系の人々による研鑽、その成果に立っての仏教思想と和による国づくりの模索、飛鳥での寺院建立などの試行を経て、平城京で大きく飛躍します。全国に国分寺と国分尼寺を置き、東大寺を総国分寺とし、あまねく照らす大日＝ビルシャナ仏を造立して仏法を国を守護とする基本法としました。世俗の王法と聖なる仏法が協調する国家体制です。救済宗教ではなく護国思想による護国仏教です。大仏は国あげてのナショナルアートでした。

仏教は国と上層階級の守護宗教として平城京から平安京にかけて発展します。その時期の仏教文化には造寺・造仏、マンダラや諸菩薩の画像、極楽地獄図、九相図などがあり、上層貴族の道楽、氏寺・持仏などパーソナルアートの仏教ごっこでした。天皇の離宮の寺院、藤原道長の法成寺や頼通の平等院、彼らの往生行儀など贅を尽くしたあそびでした。仏教は難解な思想からの理解ではなく具体的画像や造形による感覚的接近で、先年はやった仏寺・仏像巡りに興じることと同じレベルでした。仏寺は華麗な偉観で都を驚かせ、その余波は地方にも流れ、遠く奥州平泉の藤原三代の行業にも現れます。

都に生きる上層階級の女性たちにも仏教は新趣向の守護神と受け取られました。最高のインテリで『蜻蛉日記』の作者でさえ、仏寺は夢を授かるおこもりどころとみていました。悩みごとがあるときは石山寺や長谷寺に参籠し夢告を待ちます。一方、寺詣でやおこもりをレクリエーションとして楽しむ女性たちもいます。清少納言は清水寺の舞台で、見知った人をみつけては、〇〇さんも来ているると、着飾った女性たちとともに脱日常のアジール空間を楽しみます。『更級日記』の作者は若いだけに無邪気で、天照大神って神さま?仏さま?、どこにいらっしゃる?と尋ねるレベルで、お寺のおこもりは夢占いといいながら格好の遊山でした。仏教は心身をあそば

「地震は豊年の基い也」に始まり、神々が易学に基づき鯰を退治する。『地震吉凶之弁』（1855年〔安政2年〕10月）
（出典：国史大辞典編集委員会編『国史大辞典』第3巻、吉川弘文館、1983年、「瓦版」図12）

せてくれる導き、仏寺は日常から解放されるアジール、遊戯場と見なされていたのです。こういう感覚は中世・近世に至っても盛んで、上から下まで、仏教は救済思想、生の哲学として染み通ることはありませんでした。上層部ではパーソナルな仏教ごっこ、庶民層では「わらしべ長者」のようにフォークロアが誘う仏教ごっこです。

平安時代半ば、市聖と慕われた空也上人が市中に踊り念仏を展開します。フォークダンスとフォークソングのコラボです。後期には洛北大原の良忍が声明音楽を大成すると同時に、融通しあう念仏を唱えてファインソングとフォークソングの両道を広めました。庶民のなかへのこういう仏教浸透の動きはありましたが、広く民衆の救いの教えとはなりませんでした。やがて、仏教は国家や特権階級の占有物ではない、悩み苦しむ衆生のための教えである、難行でなく誰でも近づける平易な易行の教えこそいま求められている仏教である、として、「南無」とすがればよしとする教えが、仏教革新運動のはしりとして現れます。法然―親鸞―一遍へと続く一向宗、『法華経』を大切にする日蓮の法華宗などです。これらは、釈迦の教えの一端、中国天台学の一部分を拡大し自己流に解釈した日本製仏教で、「新仏教」と仏教史学では高く評価されてきたものです。自宗自派を広めるために論法は単純化され、ドグマ化していきます。その結果、セクト化が進みました。日本製仏教は擬似宗教を超えてドグマ教、セクト宗として拡大していきました。それら教派宗派仏教が以後、日本仏教の偏向した主流と化します。宗教は、特に仏教は、信や教義やドグマで人間や社会を縛り拘束するものではなく、日常や体制、人為的拘束事から人間や社会をひととき解放しあそばせるものです。日常でないあそびやごっこで人間や社会を洗浄し刷新をはかるものです。仏寺はごっこ・あそびのアジールでした。アジール性が鎌倉新仏教から始まる諸宗諸派で見捨てられ、余裕がない奉仕仏教化し、門徒や檀家は宗派を普及させる要員とされるに至ったのです。あそびがないところに心身の解放などありえません。寺院が江戸幕府の民衆統制の機構とされては、さらに息抜きも不可能になってしまいました。

仏教ごっこで脱自・脱日常・脱体制を楽しんでいた庶民は、では、どこに仏との付き合い、身丈に合った仏教との親炙の方向を見つけるか。ドグマ化やセクト化した仏教でなく、理屈なしに楽しめるには、まずとらわれがないこと、拘束がないことが基本条件です。自分たち仲間の解放は、やはりその条件を満たすあそび・ごっこに求めるしかありません。拘束された狭苦しい日常空間を離れるには仏寺の広い空間、境内は空っぽ、本堂も仏像以外は空っぽの時空間は、ごっこ場、アジールに格好です。日常にない空っぽの清浄空間でくつろぎ、心身を洗浄し、ときには仏像に挨拶します。気に入れば護符や引き札を手にします。本尊の摺仏や印仏、いわゆる仏教版画を求め、家の仏壇に飾ることもあります。摺仏・印仏は大小とりどり多種多様で、

心癒される印仏。『阿弥陀如来坐像』（山城・浄瑠璃寺中尊胎内から発見、鎌倉時代）
（出典：菊竹淳一／兜本正享／白畑よし／西村兵部編『日本古版画集成』図版篇Ⅰ、筑摩書房、1984年、図16）

近世の浮世絵版画とは精神も技術もまったく異にするものです。フランス中世末の民衆版画よりも、ドイツのルネサンス期の銅版・木版に通じる味わいがあります。民衆知を知るもののフォークアートの結晶です。理屈抜きで仏との対面、対話が楽しめる逸品ぞろいで、極上の民衆アートです。

レクリエーションとしての寺詣で、摺仏や印仏をわが持仏とする楽しみ、江戸で催される京都をはじめとする名寺の本尊の出開帳見物など、仏教ごっこはいろいろあります。寺巡りは六阿弥陀詣で、六地蔵詣で、三十三観音・百観音霊場巡り、四国八十八札所遍路、各地のミニ八十八所参拝へと続きます。巡礼ピクニックは仲間との物見遊山、はめはずしの仏教ごっこともなり、解放を満喫できました。

庶民のお寺あそび、仏教ごっこの盛況ぶりの一端は、たとえば幕末の斎藤月岑の『東都歳時記』にも見て取れます。毎日といっていいほど、どこかの寺で縁日、催しがあり、参詣人は絶えません。遊山気分で自分を解放し、ときには本堂に座って地獄・極楽の絵解きを聞き、九相図や二河白道図に感心し、禅画のとぼけた風味を知るなど、フォークアートの妙味を心に刻むこともあります。仏教はとらわれた心、構えた身体には入り込みません。自他に開かれた心、身構えない身体、あそびやごっこに興じる心身に浸透していくものです。仏教ごっこに自然体でなじむところに、自在の生、仏教の無心・無執着が体得されるのです。あそび・ごっこを支えるのは、それを素直に表現するフォークアートで、仏教ソング（声明）、フォークダンス（踊り念仏）、フォークロア（仏教説話）、そして仏画や野の仏などフォークアートでした。

歳時イベントごっこ、地域フォークロアあそび

私たちは古くから神さまあそび、仏教ごっこに息抜きし、とらわれないひとときを楽しむと同時に、一年を節目に分け、節目ごとの行事に従ってイベントを工夫して、生を元気づけ、共同体や郷土を活性化してきました。年中行事は地域色を取り込んで楽しむ集合知・伝承知の所産です。十二カ月や四季にリズムをつけ、生活や生業

もリズムで営み、リズムからフォークソングやフォークダンス、フォークロア、フォークアートが自生してきました。まずは広く全国に見られる行事を巡ってみましょう。

年中行事の初めは正月です。しめ縄、門松、若水の飾りアートに始まり、初夢、初荷、初売り、書き初め、初詣で、初暦、初富など、仕事からあそびまで何でも「初」という言葉をつけて新年をことほぎます。ことほぎにはアクセントづけの工夫が楽しまれ、幣や神棚飾り、正月着から正月あそびの遊具まで新しい装いをこらします。トイレやかまど、生活用具にもしめ飾りをつけて、それぞれのカミに感謝し、始まる年での交誼を願います。子どもにとって正月は最もハレ行事で、凧揚げやコマ回しの野外あそびからカルタ、双六、福笑い、十六ムサシ、トランプ、花札などの室内あそびまで、新装・伝来の遊具で楽しみます。それら正月をもり立てる用品、遊具、飾りはフォークアートの原型です。一月には小正月、どんど焼き、二十日正月といった行事も続き、伝承遺産を大切にする地域ではそれらをフォークロア、フォークアートとして体験することもできます。

『地蔵菩薩立像』（印仏、南北朝時代、一体一版の同一板木）
（出典：前掲『日本古版画集成』図版篇Ⅰ、図148）

二月は節分、豆まき、初午、稲荷祭り、バレンタインデーといった行事が春への流れを準備し、三月は桃の花で飾られる雛祭り、願いを込めた流し雛行事、春彼岸会とともにくる春暖に誘われての磯あそびへと春を盛り上げていきます。多彩な雛人形など、ここでもフォークアートは行事の花形です。

四月、陽春は陽気なエイプリルフールで明け、灌仏会、花祭り、花見など桜との共演が楽しまれ、五月は藤、あやめの花とともにメーデーで始まり、八十八夜、憲法記念日と続き、子どもの日・端午の節句で初夏の気を、心身に、家に、町に、吹き流しのように届けてくれます。つい数年前までは鯉のぼり、のぼり幡、菖蒲飾り、鎧かぶとの武者飾りなどが、家々や村や町の屋内外に、屋根の上に競い合い、フォークアートショーの観がありました。願いを込めるのはフォークアートの基本心得です。五月には戦後に広まった新行事、母の日もあり、幼児たちの母の絵はプリミティブアートとして居間を、スーパーや公機関のギャラリーを飾ります。六月は大祓い、茅の輪くぐりで、夏への対処を心がける月です。

七月は山開き・海開きで始まり、七夕、迎え火・送り火の盆行事、盆踊りが続き、京都の祇園祭をはじめ各地に夏を乗り越える祭りが執行されます。八月は広島・長崎の原爆記念日、盆行事と重ねて終戦記念日が各地で執り行われます。そして昔ながらの地蔵盆では町の辻から子どもたちのかわいい声が流れてきます。

九月は重陽の節句と月見、ともに近年関心が薄れ、行事らしい営みもなく、風流あそびは風前の灯です。新趣向による月見宴、重陽節句行事、それを演出するフォークアートの新生が待たれているのではないでしょうか。十月は神嘗祭《かんなめさい》、十一月は新嘗祭《にいなめさい》など古式の行事がありましたが、勤労感謝の日などと名称が変えられたりして消え去りました。亥子《いのこ》祭り、ふいご祭り、たたら祭りなど農業工業の祭祀も遠ざかり、にぎわうのは七五三祝い、ハロウィーンくらいになりました。十二月、一年の締めはクリスマスと歳の市。大晦日の営みも目立たず除夜の鐘も年越し詣でも無風流の時代になりました。フォークロア、フォークアート逼塞時代なのでしょう。そんな時流だからこそ、伝来のフォークアートを受けて、あそび具に生活具に、生活環境に、公空間に、現代にふさわしい現代フォークアートを展開してみたいものです。

フォークアートの土台、地域の祭りへ

地域差はあるものの全国に共通する行事と並んで、地域色横溢の行事・祭りも多々あります。一月は十日戎（大阪）、ナマハゲ（秋田）、二十日正月（沖縄）、二月は二十日に始まる東大寺修二会、北野梅花祭、三月はお水

取り、壬生大念仏（京都）、四月は壬生狂言、今宮やすらい祭り（京都）、五月は四月大願い（沖縄）、賀茂競馬、葵祭、三社祭（東京）、神田明神祭（同）、湯島天神祭（同）へと続き、六月は日吉山王祭（東京）、熱田祭（愛知）、住吉大社御田植神事（大阪）、津島祭（愛知）、長崎ペーロン、盛岡チャグチャグ馬コ、厳島管弦祭、鞍馬竹伐り会式（京都）などへと続きます。

七月は夏祭りの月、博多祇園祭、朝顔市（東京）、四万六千日（同）、相馬の野馬追（福島）など土地色横溢、天満天神祭（大阪）は大祭です。八月は仙台七夕祭、秋田竿灯祭、青森ねぶた、結願祭（沖縄）、富士火祭りなど異色の祭りも多様。九月は風の盆（富山）、八幡神社高山祭、鎌倉八幡宮流鏑馬、九月大願い・種子取祭（沖縄）など。

十月、長崎オクンチ、唐津オクンチ（佐賀）、各地の十日夜、時代祭（京都）、鞍馬火祭、各地の収穫祭。十一月の高千穂や椎葉の夜神楽、東京の酉の市のあと十二月に入り、秩父夜祭、三河花祭、義士祭、春日若宮おん祭、世田谷ボロ市、浅草年の市、羽子板市、京都終《しま》い弘法市を経て、八坂神社をけら詣りで新年用の火をいただいて年越しとなります（実施の月は、新旧の暦、現代の状況に合わせて変更されたものが多いので、上記は古い慣行に従ったものです。現行とは違うものがあります。『日本民俗大辞典』上・下〔吉川弘文館、一九九九―二〇〇〇年〕を参考にしました）。

お寺とも義理付き合いが救い。『法隆寺西円堂万杯供養札』（摺仏、鎌倉時代）
（出典：前掲『日本古版画集成』図版篇Ⅰ、図254）

地域の行事、イベントは風土色を映して多彩です。そのごく一端を挙げましたが、フォークロア、フォークアートは地域の協働に生まれ成熟していくもの、土着性こそその本命であることが一端からもうかがわれます。風土色、ローカリティーをともに慈しむところに、心温まるフォークアートは熟成されました。

年中行事もイベントも個々人、一家、地域社会のため、郷土（風土）の健全、融和、発展のためにあります。国指定の祭日や記念日は精彩なく、節句など伝承フォークロアとしての行事は、全国版でありながらローカル色もあるものはいまも魅力を残しています。均一と見えて地方ならではの風合いをみせるのがフォークロアで、土着の本物文化のしたたかさがあります。暦ひとつとってみても、絵暦、柱暦など、配される絵や写真に土地の特色が濃厚です。雛も紙雛、折り雛、京雛、人形雛など、平面や立体もあり、地方色豊かです。人形もコケシや泥人形、博多人形、京人形など土地ごと、材質ごとの表情をもっています。鯉のぼりや凧など遊具も土地自慢で、土地の職人の手仕事によってつくられた民画があしらわれ、独特の表情をみせてくれます。大津絵のような民画だけでなく、シーサーやコケシ、仮面、泥人形など立体造形もローカル色ふんだんです。土地の風味を知りつくしている土地の人が、土地の思い、表情、願いを、自己主張でなく自然体で表象するところに土地ならではのフォークアートが生まれました。土地への共通の思いが染み込んだ制作で、個を超えた共同主観による協働制作の成果です。

私たちはいま、自分が住む土地・場所の意識を失いつつあります。風土も風景も見えず、殺伐とした他人行儀な景観に取り囲まれて生存しています。四季の移り変わりはもちろん、さらに分節された十二カ月、二十四節気の推移変化に注目することなどほとんどありません。そういう暮らしからは自然との交歓による生の実感が訪れるわけもなく、外部との出会いによる生気あるアートが自生してくるわけもありません。自然の声、土地・場所の気配、集団や社会の空気に気づかず、人工物に囲まれ、技術力を頼りとする生に明るい展望はありません。経済合理性が優先される現代にあって、ひそかに求められているのは自然性、プリミティブです。プリミティブへの生身の共感です。その共感のうえに現代にふさわしい年中行事が築かれ、新生していきます。無人称で無機質の表現でないローカル色を湛えた有機質の表現＝ローカルフォークアートも新生します。場所から生み出しながら場所を超えるアートの出現です。土地の空を飾る凧を揚げ、鯉のぼりを泳がせたいものです。

［ワークショップ課題］

①お守り、お札、おみくじ、七福神など、絵画的アクセサリーとして新生させてみよう。

②仏教版画をフォークアートの枠とみて、仏教あそび絵をつくろう。

③仲間たちと祈願を込めた大絵馬を描こう。地域が誇るフォークギャラリーの試み。

第9章 あそぶ、あそばせる、あそびごころ

——文化をつくるベース、フォークロア

遊び観の西と東

遊びは人類の歴史でどんな役割を果たしてきたか。必ずしも肯定的な意味を付されてこなかった遊びを人類の営みのなかに大きく意味づけ位置づけたのは、オランダの文化史家ヨハン・ホイジンガです。その画期的な論考『ホモ・ルーデンス』（一九三八年）の意図を「ここで明らかにしようとすることは、文化は遊びの形式の中で発生し、はじめのうち、文化は遊ばれた、ということだ」「文化は遊びとして、もしくは遊びから（略）始まったのではない。言うなれば、遊びの中で始まったのだ」と述べ、人間の本性を遊ぶ人《ホモ・ルーデンス》とみて、人類の営みの歴史・文化史を構築しました（『ホモ・ルーデンス』高橋英夫訳、〔中公文庫〕、中央公論社、一九七三年）。J・E・ハリソンが『古代芸術と祭式』（一九一三年）（佐々木理訳、筑摩叢書、一九六四年）で音曲、ドラマ、仮面、彫像・画像など芸術はすべて祭式のなかで生まれ成長してきたとする考えをさらに周到に考察した大著です。

ホイジンガによれば「遊びは自由な行為であり、「ほんとうのことではない」として、ありきたりの生活の埒外にあると考えられる。にもかかわらず、それは遊ぶ人を完全にとりこにするが、だからといって何か物質的利

益と結び付くわけではまったくなく、また他面、何の効用を織り込まれているのでもない。それは自ら進んで限定した時間と空間の中で遂行され、一定の法則に従って秩序正しく進行し、しかも共同体験的規範を作り出す。それは自らを好んで秘密で取り囲み、あるいは仮装をもってありきたりの世界とは別のものであることを強調する」ものです。つまり、遊びは自発的な行為で、実生活の埒外にあって、実利とは関係なく、日常の時間・空間から離れ、実生活とは別の規則に従って営まれ、それ自体を目的とする行為です。ホイジンガの遊び論では、古代の祭りのなかから祭りとともに、実生活を離れて諸芸術が生成したように、神遊びを通じ、遊びと聖なる営みが通じ合い一致するがゆえに、遊びを文化の核、人間の本性とみたのです。

ホイジンガの遊び論を批判的に深めたのが、フランスのロジェ・カイヨワの『遊びと人間』（一九五八年）です。カイヨワは聖なる行為と遊びに共通点をみるホイジンガの観点を批判し、両者に類似性を認めながらも、聖と遊びの間に俗生活を介して「聖—俗—遊」のヒエラルキーがあるとします。「聖なる活動から世俗の生活に移る時には、人はほっとした気分になる。それは、世俗の生活での思いや逆境から遊びの雰囲気へ移る時と同じことである。このいずれの場合にあっても、移行によって新たな段階の自由が得られるのだ」（『遊びと人間』多田道太郎／塚崎幹夫訳〔講談社学術文庫〕、講談社、一九九〇年）。カイヨワは、聖と遊とは共通ではなく、俗を介して対照的な位置にあり、俗を超越するものとして聖を、俗から離脱する行為として遊びを位置づけ、そこに人間の生存での遊びの意味があるとしました。

ホイジンガは遊びを「競争」と「模擬」の二つとします。ゲームや競技と、模倣やごっこ遊びです。カイヨウはその二つに「運」と「眩暈」の二つを加えます。偶然に委ねる賭けや、ジェットコースター、ぐるぐる回りの類いです。「競争」と「運」は日常とは別のルールと秩序でおこなわれ、「模擬」と「眩暈」はルールなしで営まれ、自分から自分が脱出したような脱自の混沌が魅力になります。「競争」と「模擬」は自分の意志によって演じられ、「運」と「眩暈」には意志は不要です。カイヨワの遊びの分類に実生活を離れる遊びは言い尽くされています。日本の遊びにもこの四つが、かつて離宮や別荘、社寺などの俗世間を離れたところで、風流韻事や酒宴も含め、営まれていました。遊びは東西に共通する人間の本性からのものでした。
しかし日本では、この四つと違う行為も「遊び」とされてきました。たとえば、建築で「遊びを入れる」「間をとる」といわれる作法もその表れです。時空間や諸関係に「間」を入れ、ゆとりをもたせ、融通がきくようにしておく、遊ばせるという消極性も日本では遊びとされ、遊ばせること、余裕のあることを生や表現の作法として重用してきました。世阿弥が芸の見どころとして最も重視したのは、芸から次の芸へと移る際、隙間を入れ、間合いをとる「せぬ隙《ひま》」です。遊びも遊ばせることも「間」「せぬ隙」でその本来の力をみせるというのです。子どもたちと無邪気に遊ぶ良寛は「世の中にまじらぬとはあらねども　ひとりあそびぞ我はまされる」の歌どおり、無作為の遊びを仏行とするまでに遊び・遊ばせることを大事にしました。仏行のなかの「間」です。

遊びには広狭二つの世界があり、ホイジンガやカイヨワが対象にしたのは狭義の遊びです。日常とは別の時空に心身を解放し、神事から宴遊、歌舞遊楽、賭博や競技、芸事や風流事に気を散じる積極的遊びが狭義の遊びであるなら、何もせず、ぼんやりすごす無為のひとり遊びも遊びで、ルールも約束ごともなし、意志も無用、感興に乏しいけれど心身の弛緩に委ねる消極遊びも取り込んだのが広義の遊びです。それをも視野に入れて、長く伝承されてきたフォークロア、アートめいた遊具などから広義の遊び世界をうかがってみましょう。

あそびをさせるもの、あそびの妙味

私たちは場所（空間）という舞台のうえに、他者や社会、モノやコト、自然や神仏など、さまざまなものと関係（世間）を結びながら、時（間）を紡ぎ続けて生きています。主役は自分（人間）です。空間・世間・時間・人間という四つの「間」が生きる舞台・配役・ストーリー・演者になってドラマを演じ続けるのが人生というものです。この四つの「間」の外に生存の時空も方法もなく、しかもその四つはいつの時代・社会でも人を緊張させ縛るものでした。特に現代では四つすべてが高密度、高速化、技術化、間接化されていて緊迫感を高め続けて

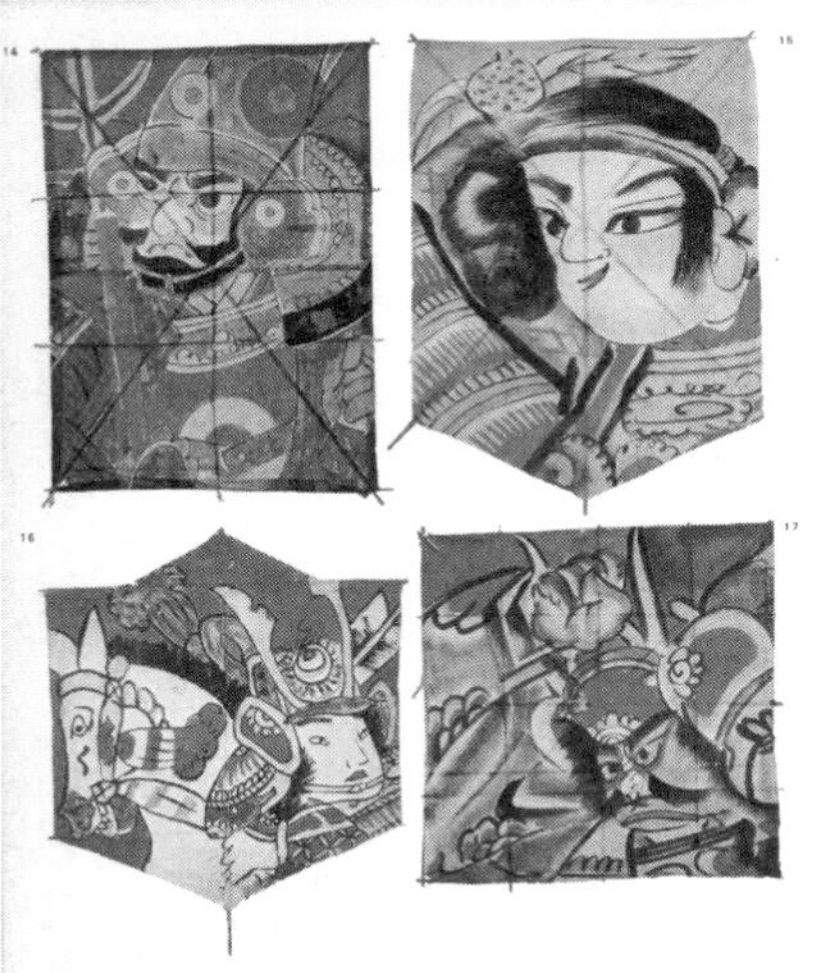

凧、大凧、変わり凧さまざま
（出典：俵有作編著、薗部澄撮影『日本の凧』菊華社、1970年、22－23ページ、図14－図18）

います。それが生きる舞台です。安らぎも慰めもなく、忙しい立ち回りを要求されるそんな舞台で生という芝居を演じながら願っていることは何でしょう。自分を変えたい、息抜きしたい、日常や役割からちょっと出たい、約束ごとやシステムからひととき脱出したい、自分というとらわれから逃れたい、社会の埒内から飛び出して解放されたいなど、子どもっぽさとも通じる思いではないでしょうか。そこがあそびの侵入してくるときです。あそびは日常・俗事のなかへ、それらをかなえるチャンスだと、人間の間に、社会の隙間に侵入して、四つの間を弛緩し、洗浄し、人や社会の内部を刷新してはすっと退いていきます。あそびは四つの間を自在に行き来する影武者で、人やモノにつきまとう影のように、人間存在を正常へと支え続けるものです。合理性や効率を優先する社会では無用、ナンセンスとされがちですが、老荘思想で無為が、仏教で空や無が最重視されるように、無用は実利・実用社会ではそれらを相対化し、否定する力ももっています。積極的あそびは即効薬として脱日常や脱自、脱システムをもたらし、消極的あそびは常備薬として、汚染された自分や組織、事象や現象を、体質改善も含め、根本から変えてくれます。あそびの力は単なる効用どころではなく、もっと本質的なものです。

あそびは場や状況によって臨機応変、自在に出没します。ルールや約束ごとがあっても没頭すれば忘れるのがあそびで、それがあそびの自在力です。まずは気楽なひとりあそびから始めましょう。

ひとりあそびはあそびの原点です。幼児がつぶやきながら笑い、体を動かすのもあそびで、「なぐり描き」もアクションペインティングにつらなる表現あそびです。折り紙、切り紙は創作アートあそびです。身辺にある衣類や椅子、文房具や紙など手にするものを自分流の遊具として用いもします。用途を自分流に変えるブリコラージュです。この原初性はあそびの本性です。物まね、仮面仮装、変身などプリミティブアートの原動力ともなります。絵文字や絵日記もつぶやきの合奏を得てあそびへ、アートへと昇華します。独り言も空想仮想世界を構築するあそびでバーチャルあそびへと高じていきます。お絵描き、粘土あそび、積み木、ごろごろあそび、歌や楽器など、美術、彫刻、建築、パフォーミングアート、音楽など、すべてのアートの芽生えがひとりあそびにあります。ひとりあそびは視野狭窄、独り善がりの弊を伴いながらも、あそびの原点、原初のアートとつながり、全感覚を使っての自然性、自在性はあそびに期待されることの集約になっています。伝承されてきたひとりあそびのうえに、それぞれの生感覚、生活歴をふまえて、独自のひとりあそびが工夫

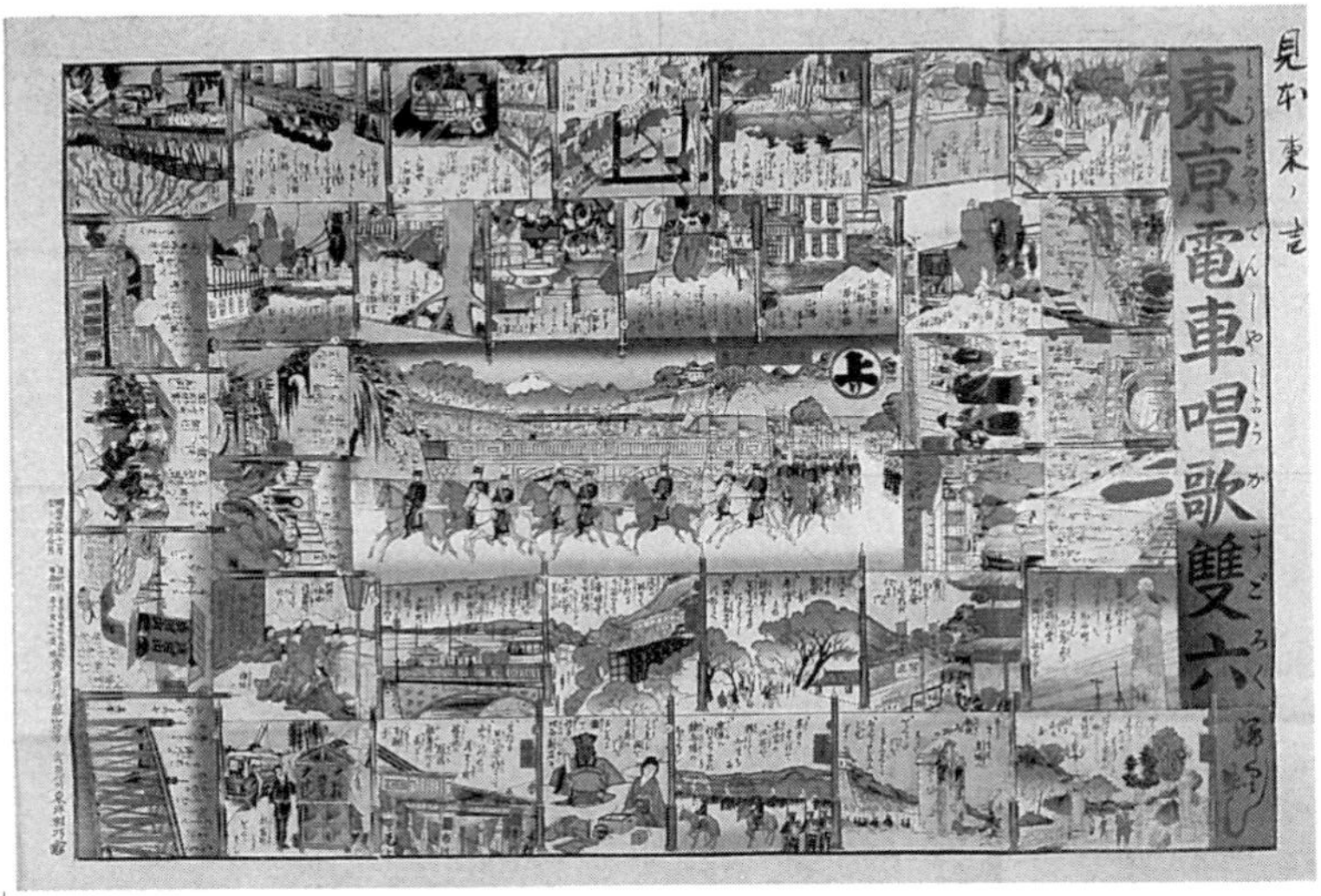

教育とあそびに誘う絵双六。『東京電車唱歌双六』（1896年〔明治29年〕、電車で東京一周案内）
（出典：国史大辞典編集委員会編『国史大辞典』第8巻、吉川弘文館、1987年、「双六」図13）

されれば、ユニークなアートへと昇格するでしょう。

次いで仲間あそび、昔風にいえば「座あそび」です。幼少期から青少年期、壮年期、老齢期まで、下層から上層まで、男女・貧富の差を超えて演じられるあそびです。年中行事との共演ともなり、正月の仲間同士での屋内屋外あそびから節句ごとのあそび、桜狩りなど季節に合わせた野山海浜でのあそびなど、競争・模擬ごっこは年齢を超えて楽しまれました。屋内中心の座あそびは、かつて茶や花、連句や芸事など、道楽あそびが中心でしたが、現在はお稽古事になってしまい、あそびや生活表現の活気を失ってしまいました。それらにかわるホビーあそびが、コミックマーケットやアニメあそびではなくて、現代の道楽として期待されているのです。狭義・広義のあそびの再開発です。

次は集団あそび、地域協働あそびです。年中行事やイベント、祭りはその中心です。そこではフォークアートの典型、郷土玩具も多彩です。その一端。

東北地方のコケシ。八幡駒（青森）、チャグチャグ馬コ（岩手）、松川だるま（宮城）、ぼんでんこ（秋田）、松獅子（山形）、三春駒（宮城）、亀戸うそ、雑司谷芒みみずく、今戸人形、千代紙、武者絵凧（東京）、箱根寄木細工、江の島ふぐ提灯（神奈川）、のろま人形（新潟）、加賀人形（石川）、紙絵馬（岐阜）、豊川狐面、でんでこ太鼓（愛知）、大津絵（滋賀）、伏見土人形、男山紙鯉、大原女人形（京都）、住吉土人形、神農虎（大阪）、神戸人形、城崎わら細工（兵庫）、彩色鹿（奈良）、粉河流し雛、淡島守り

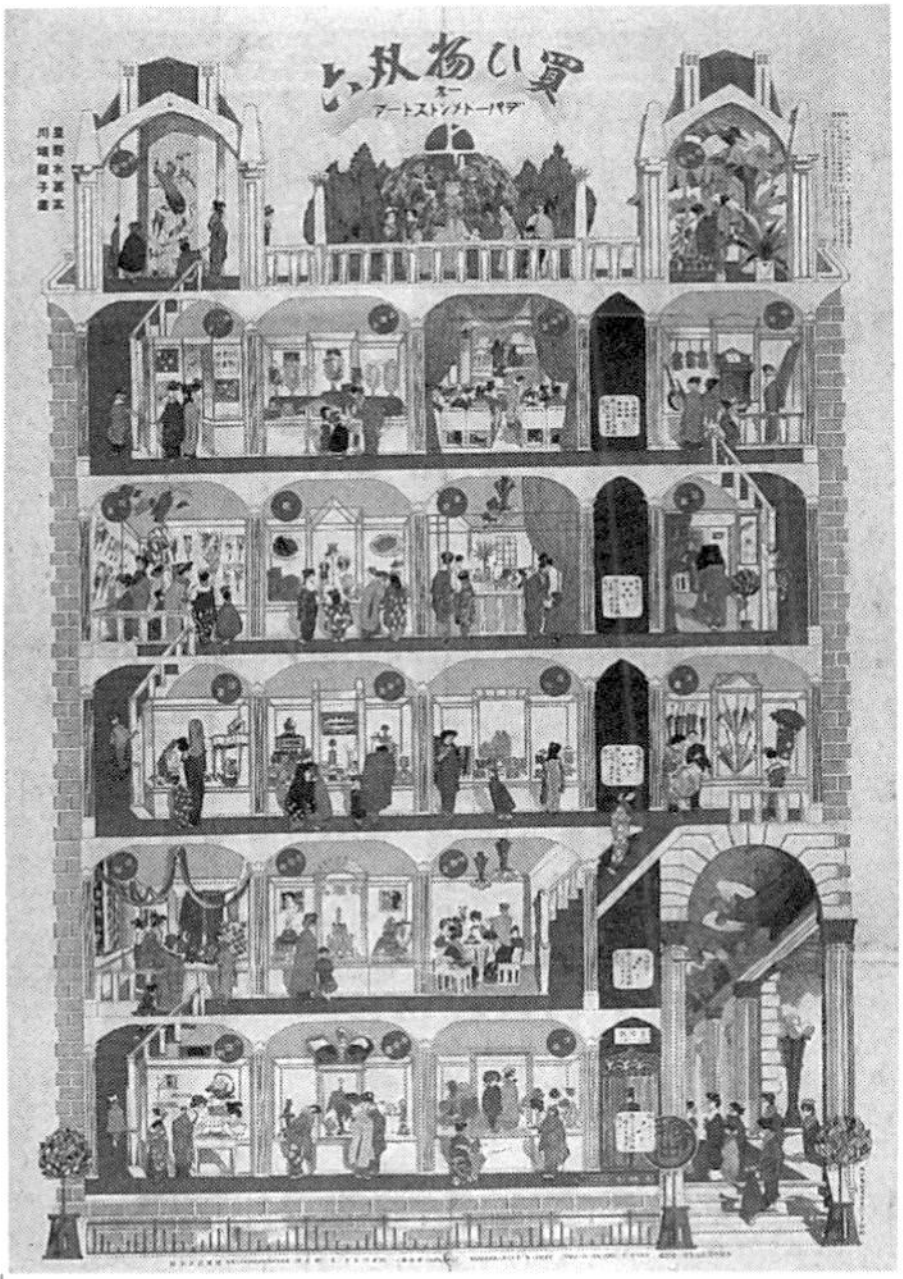

流行の先端百貨店を流行画家が描く。星野水裏案、川端竜子画『買ひ物双六』（「少女の友」第7巻第1号、実業之日本社、1914年〔大正3年〕1月、付録）
（出典：前掲『国史大辞典』第8巻、「双六」図17）

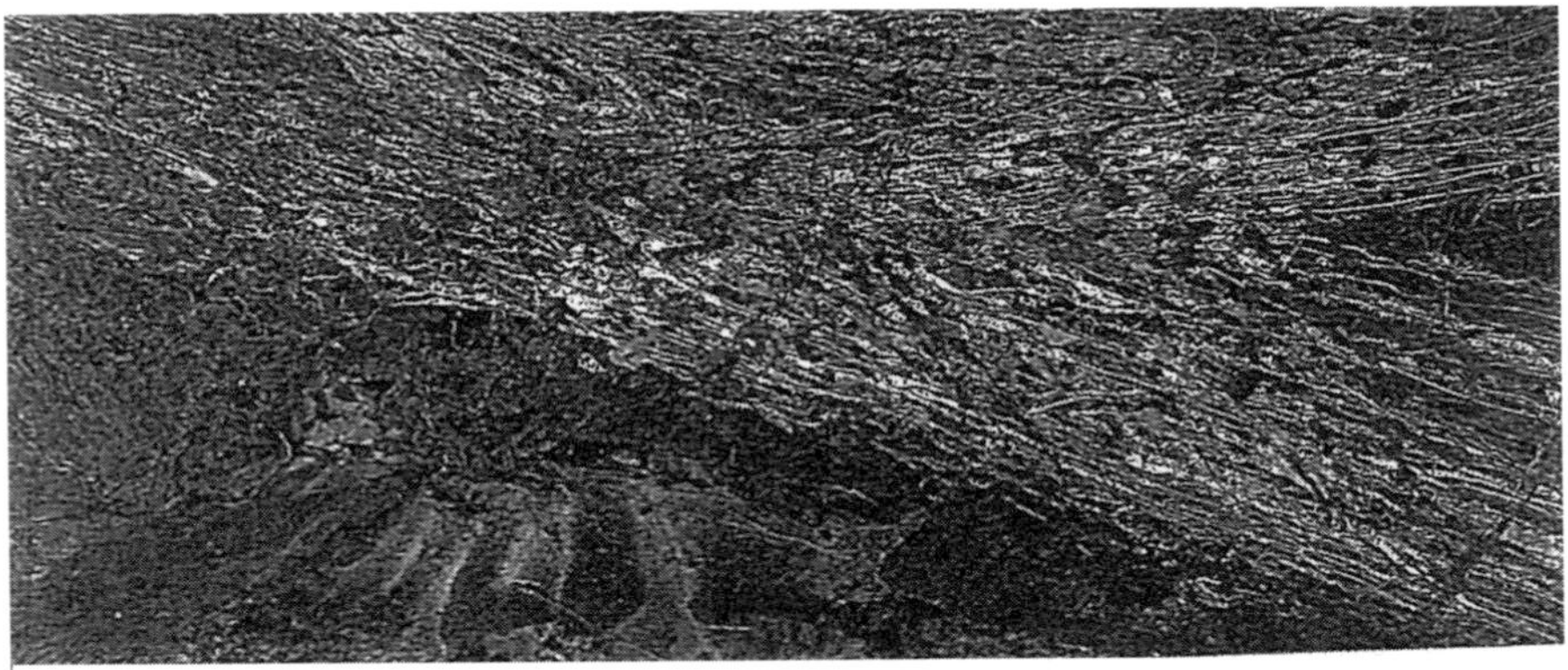

燃える大空にのぼる鯉たち。今井俊満『鯉のぼり』（カンヴァスに油彩、1962年）
（出典：前掲「美術手帖」1978年7月増刊号）

雛（和歌山）、流し雛（鳥取）、松江あねさま（島根）、吉備津こま犬（岡山）、宮島鹿猿（広島）、首でこ（徳島）、牛鬼（愛媛）、女だるま（高知）、博多人形、太宰府うそ（福岡）、お化け金時、木の葉猿（熊本）、竹田女だるま（大分）、佐土原人形（宮崎）、糸雛（鹿児島）、張り子闘鶏、はりゆう船（沖縄）。

ごくごく一部の例からも読み取れるように、土くさくひなびたものが多く、そこが郷土玩具の持ち味で、フォークロアの心根です。中央からの目でなく、土着の目とフォークの心で玩具や用具を見直せば、必ず深い共感を覚えるはずです。フォーク力です。

集団あそびといえば学校行事の大学祭や学園祭、体育祭、文化祭などもあります。なにごともあそび化していくご時世です。そんな時世だからこそ、長く練り上げられてきたフォークアートを再工夫し新開発するのも一法です。たとえば古い紙芝居、影絵の復活です。あるいは地域や学校イベントとは別にNPOなどの呼びかけで表現あそびを中核とする地域おこし興行もあります。いま流行の芸術祭とかトリエンナーレと称するアーティフィシャルなものではなく、土地のためのフォークアートショーの呼びかけです。表現やアートに新旧はなく、何をどう表現の根拠とするかが質を決めます。

型どおりになって精彩を失った風流あそび、風流づくり、座あそびはパフォーミングアート、デコレーションアートとして再生と刷新を待っています。風流はオツにすましておこなう時代はとっくに過ぎ、荒々しいバサラ風流が期待される時世粧です。それぞれ我流のバサラ風流デコレーションが共闘すれば、現代バサラの華々しい新生となるでしょう。

集団あそびは奔放大胆さがいのちです。バサラは大胆奔放自在なあそびごころを身上とします。バサラ精神がいじけたパーソナル社会をぶち壊す、そういうスローガンであそびと表現アートに挑戦したいものですね。

あそびごころが生スタイル・表現スタイルをつくる

ひとりあそびから、仲間・集団・地域あそびへとたどってきました。ベースにはフォークロアがあり、そこに地道なフォークアートが育ちました。フォークロアもフォークアートも地産地消の学、アートでした。あそびはホイジンガ式にいえば、土地の歴史のなかに、土地とともに生成し、成熟し、みんなで楽しまれてきました。あそびなしに個人も仲間も地域もなごまず、豊かな連帯もありえません。あそびの意味を知るゆえに、あそびは私世界から公世界まで浸透していき、ともにあそびながら、社会を成熟させてきました。上手にあそび・あそばせる力は何か。あそびごころです。あそびごころは、硬直し退屈になり、マンネリズムに陥りがちな生や日常に気づかせ、それに刺激を加え、揺さぶりをかけます。そういういたずら心、ちゃめっけで、個人の生、社会の生のスタイルを変えもします。美術や文芸、芸能芸事など型にはまり大衆受けに陥りがちな表現世界を洗い清めてもきました。私から公まで、生から表現まで、爽やかで元気であるよう作用してきたのが、とらわれない気ままもの＝あそびごころでした。

私たちは生きるスタイルに悩みながらも、積極的にそれを変えようとしませんでした。みんなと同じマンネリズムが安全安心だからです。しかし凡庸さや硬直にがまんできないときもあり、生をあそぶ・生をあそばせることをそそのかすのがあそびごころでした。あそびごころで生スタイルを変えた例の一端です。

日本の神話の話です。スサノオノミコトは元気溌剌の荒《すさ》ぶる猛者でした。姉のアマテラスがつくりあげた天上

岡本太郎『TARO 鯉』（混紡素材、1981年、岡本太郎記念館蔵）
（出典：前掲『OKAMOTO TARO』80ページ、図4－47）

の整然たる秩序《コスモス》世界にがまんできず、乱暴狼藉をはたらいて高天原から追放されます。天降る先は中つ国、この地上で、天上界での姿を変え、蓑をつけ、笠をかぶり、正体を「やつし」ての降下です。やつすとは、高貴の人間がわけあって正体を隠さなければならなくなって、目立たないようにみすぼらしい姿に変装変身することです。蓑笠はいまも田んぼに立つかかしの姿格好です。かかしはフォークアートの傑作です。スサノオのやつし姿は地上になじもうとする願いがこもった真率なフォークアートそのものだったのです。やつし姿をきっかけにスサノオは地上の生を結婚も含め立派に全うしました。以後、やつしは日常のなかに、芝居に、時と所を得て、状況や世界を変えていきました。やつしは上からの目でなく、下からの目で、自分に、世間に、社会に揺さぶりをかけていくのです。あそびごころの誘いかけです。

平安時代、藤原氏の摂関体制からはじき出された貴族たちは、自分を社会体制にとって無用者として、公世界から退き、表街道から隠れ、わびしい生を営みました。自らやつして、わびびとを気どり、わびびとの生スタイルを演じたのです。須磨に流された在原行平、『伊勢物語』の主人公、昔男《むかしおとこ》の在原業平など、やつしの都風の変容で「わび」スタイルのベースをつくりました。屈折したあそびごころによる屈折の生スタイル、生美学です。

威勢がいい芸達者な武蔵坊弁慶や、臨機応変、身も心も自在に演じ分けてみせる狂言の太郎冠者も、全身にフォークロアの空気をまとった中世の「やつし」でした。あそびごころによる「やつし」スタイルから自己宣伝の生スタイルにあそぶ者も転換と動乱の中世には出現します。既存の考えや習性を逆なでし、からかい、手前流儀に生きる武者たち、前出のバサラです。眼前に信じるに足りるものやことがないなら、自分の好みを基準にするしかない、とふてぶてしく振る舞ういたずら者たちで、既成の文化や生スタイルとは異装で異相の生スタイルでした。バサラの下流、近世になると怪しげな犬者、六法者が巷を横行し、近世スタイル、俗風フォークアートを

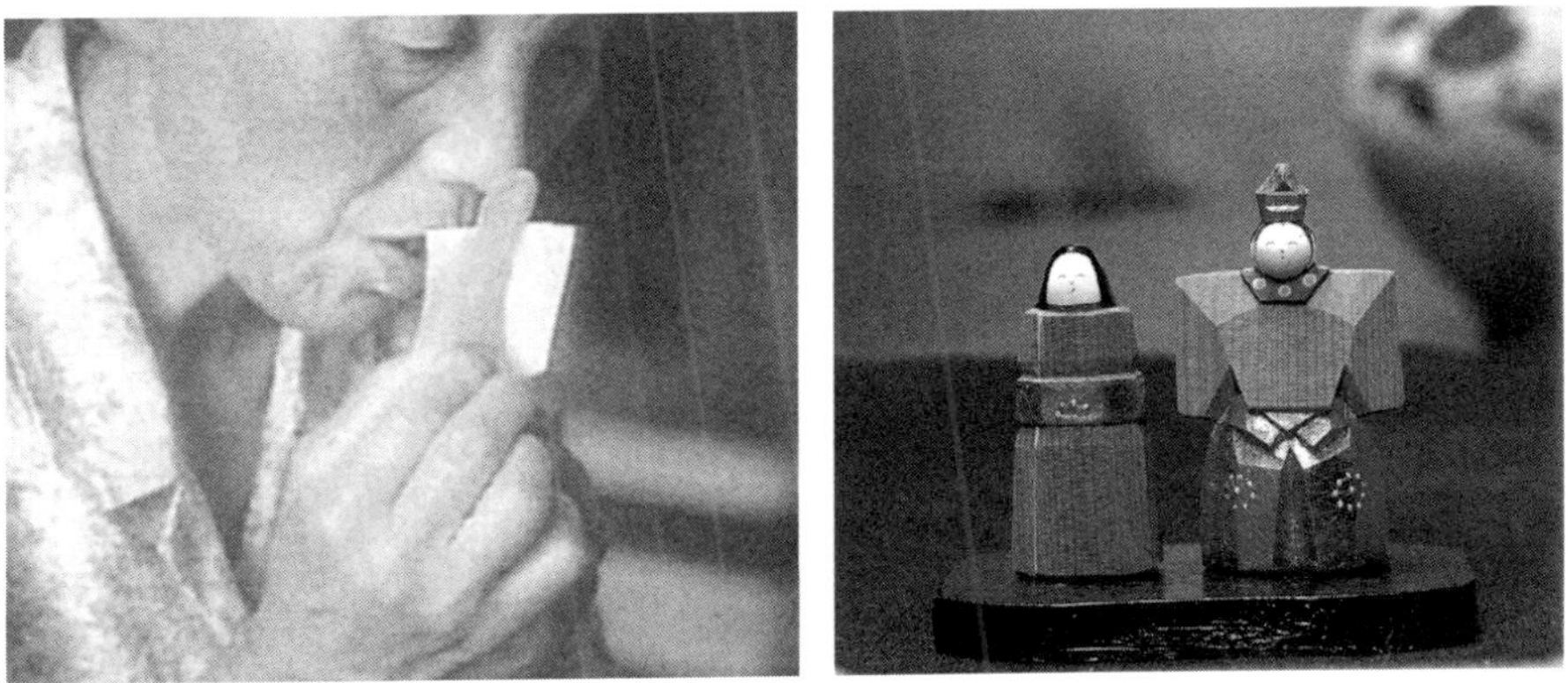

人形・雛の人形さまざま
（出典：『雛人形の世界』読売新聞社、1987年、21ページ、『大系 日本歴史と芸能——音と映像と文字による 第十一巻 形代・傀儡・人形』平凡社、1991年、203ページ）

実演します。

生きるスタイルを変えたい、その思いをそそるのが世の空気の気づきで、気づきにあそびごころ、いたずら心がはたらきかけ、異形の生スタイルを演じさせました。こういう強気の連中とは別系統のあそびも、特にフォークロアのなかにいます。「ものぐさ太郎」「三年寝太郎」など、このつまらない世の中で働くなんてまっぴらと、怠けに怠け、のさばって生きる輩です。彼らもまた世の中がよく見え、よく気づくために、社会に冷ややかになり、世間への参加を拒否し怠けに徹するのです。これら多様なやつし衝動のもとに、ふてくされたあそびごころがあり、フォークロアと通じ合う心と演技があります。

生きるスタイルをあそびごころが変えていったように、美術や文芸、音曲などの表現スタイルもあそびごころが変えていきます。フォークロアとは無縁に見える文芸からの一例です。

平安時代、和歌は日本の文芸の主流になりました。しかも以後千年近くも文学のモデルでありつづけました。その推進の中心に紀貫之がいました。それまで、倭（和）歌は自分の思いを述べる表現とされてきました。『万葉集』では思いを表現する方法として、心をストレートに述べる「正述心緒」、思いを物に託して述べる「寄物陳思」の二つの方向をもっぱらとしてきました。和歌は思いを述べる抒情歌でした。それが『古今和歌集』によって大きく変えられました。勅撰集選者の紀貫之は、和歌は思いや心情を詠むのを主流としながらも、正直な心緒を正直に詠むのでなく、あるいは比喩によって自分の心緒を述べるものでもない、自分の思いを仮構し、つくりあげ、それを物に託して、いかにもわが思いとして詠む、それを都風の作法としたのです。言葉も歌語を駆使し、縁語や掛詞、序詞などの技法を使って、心でなく頭で考えて三十一文字に構築するのが当今の和歌づくりだとして、自ら模範を示しつづけます。和歌はつくりもの、その内容である心も創作物、作者はそれを操る存在で、つくりごとだけが和歌表現に堪えるとしたのです。これは、従来の文学意識、和歌観、創作作法の大転換になりました。『土佐日記』は自ら女性になっての紀行日記です。現実の公私の営みが実景とすれば、創作は虚構で、虚像でこそ表現世界として自立でき、私を離れるがゆえに都びとの共同美意識になることができるとしたのです。歌語という作為語を使用しての知的独立です。言葉によるバーチャルリアリティーづくり、それが和歌創作でした。そういう革新をはかる根底には文学的言語表現を現実的表現から隔離させようとする強烈なあそびごころがありました。表現はあそびになり、あそびだから共有できるもの、文芸になったのです。しかし貫之は第一級の歌人です。ファイン文芸は推進してもフォークロアには関心は向かいませんでした。以後、和歌からフォーク的な要素は衰退し、それが回復するのは平安末期、説話やお伽草子からです。それも時代が降るにつれて土地離れし、都会風の仮構物、つくりものフォークロアへと痩せていきます。

ファインアートのなかのあそびごころ

なかでも絵画、彫刻など美術世界では、仏教版画や神仏ごっこの用具などの例外はあっても、つくられたファインアート、虚構の対象を再現する仮構の図像、造形が主流になっていきます。そういう流れのなかで、ファインアートの中心でありながら、フォークアートの要素もちゃめっけたっぷりに取り込んで、自他ともに楽しむ画師もいました。近世京都で最も人気があった円山応挙です。応挙は律義で誠実そのものの勤勉な画師で、町衆たちとも気さくに付き合う町人画家でした。絵の注文も上層階層から仲間内、中流町人まで多様で、それに気軽に

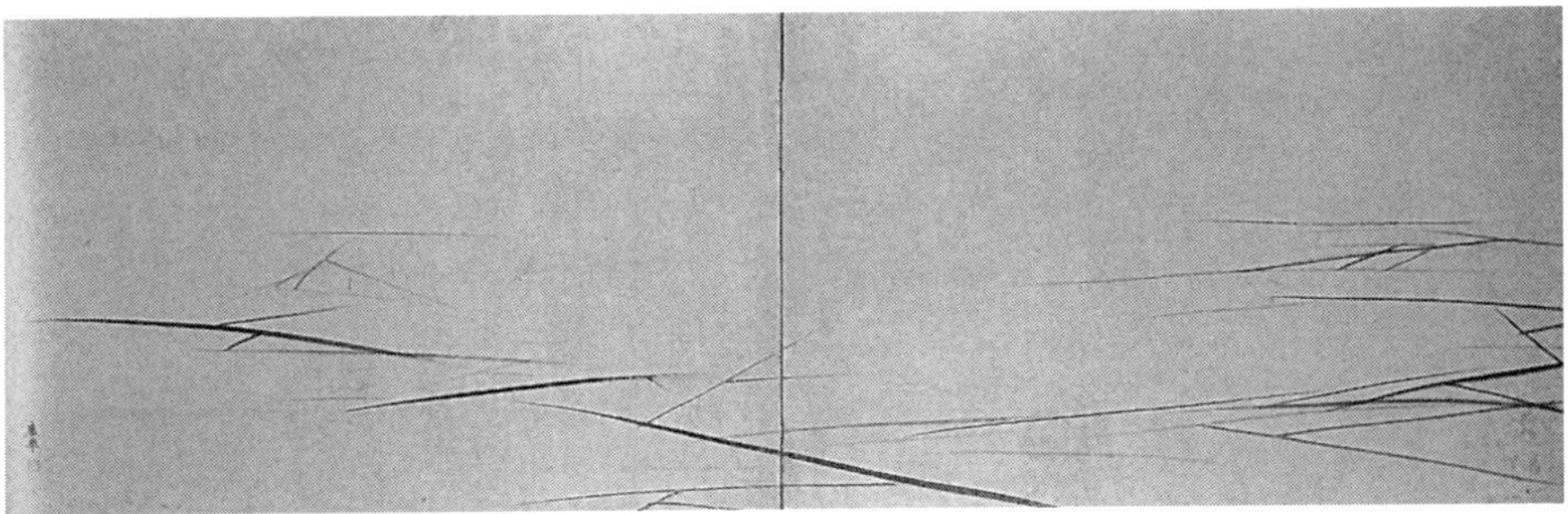

誠実な創作のかたわらに響く妙音。円山応挙『氷図屏風』（1781―88年、大英博物館蔵）
（出典：樋口一貴『もっと知りたい円山応挙――生涯と作品』〔アート・ビギナーズ・コレクション〕、東京美術、2013年、40ページ）

応じるうちに気さくな町人気質も、気どらないあそびごころも、深く身についてきます。こんな絵があります。

二曲一双の『氷図』。無色の屏風全面に氷が張りつめ、左上から、右脇から数条の線が画面に切り込むように走るだけで、薄墨の線以外何も描かれない画面からは冷気が伝わってきます。茶の湯の席に置かれる風炉先屏風で、冬の朝の茶席をより寒々とさせます。応挙のあそびごころがしのばれ、茶席はきりりとしながらも、笑みを伴うあそびごころで呼応したことでしょう。

応挙は狗子（子犬）や虎を多く描きました。縫いぐるみのような子犬たちが戯れ合う『狗子図』は応挙の稚気あるあそびごころがそのまま狗子のあそぶ姿態になって表され、画家と子犬が戯れ合っている風情です。虎を描いても、虎が未見とあって、どれも猫のようにユーモラスで、たとえば多くの虎図から一点『猛虎図』。左右から檻のように表装で締め付けられた幅十五センチに満たない極端に縦長の画面の中央から顔を押し付けて虎がこちらを睨みつけます。構図下部に描かれた前脚の間から尻尾が跳ね出て、猛虎の威風はありません。構図の奇抜さとともに、愛嬌ある猛虎づくりも、子犬や猫とも心を通わせられる応挙ならではのあそびごころの所産です。ファインアートでありながら、誰でも親しめ、声をかけたくなるフォークアートの気も濃く漂い出ています。

床の間では足りず座敷まで広がる長い掛け軸『瀑布』では、水が天井から落ち、座敷へ流れ出たように見える趣向です。『波上白骨坐禅図』は波の上に白骨体が坐禅しています。波は煩悩海を表し、禅定して白骨になってなお悟達しえない人間の業の深さを、深刻さも訓戒も風刺もなく、人間はこんなもんですよという調子で、あそびごころで行く末を見て取っているかのようです。軽妙さもフォークアートの要素で、応挙には生まじめな多くの大作のなかに、ひょうひょうとした戯れ描きのような遊戯画もあり、それが町衆との交歓を誘い、応挙その人を自然体に向かわせました。フォークロアの心と姿勢は丹波育ちというフォーク力によるものでしょう。フォークに気負いは無用です。

気負わない画風といえば、博多崇福寺の仙厓です。禅画では近世、白隠という傑僧が従来の画法を超え、奔放大胆で自信満々の達磨図や祖師像、そして自画像まで膨大な画を残しました。白隠の画には恫喝するような説教調があふれ、戯画にも禅画、自画像にも強烈な主張があり、心穏やかに接することはできません。禅独自のあそび、あそびごころがないからです。しかし、仙厓はとらわれがなく、禅にこだわらず、画にこだわらず、悟りにこだわらず、白隠のように訓導する気は微塵なく、禅にあそび、画にたわむれます。あそびごころが画を描かせている風合いです。仙厓の『坐禅蛙画賛』。これ以上省筆できないまでの少ない筆致で、しかも薄墨で描かれた蛙が、前方を向いてひょこんと座っているだけです。技巧は無用、巧拙は問わないことを身上とした仙厓らしい作品です。白骨は揺らぐ波の上に座り悟りにほど遠い姿でした。この蛙は「坐禅して人が仏になるならば」と賛にあるように、ちゃっかり悟り気分になっているようです。『○△□図』。これは画か書か、画であり書であり、かつ二つを超えた表現です。○△□は何を語りかけるか。○△□は宇宙の根源を示すとか、天台・真言・禅の三宗を表すとか、儒教・仏教・道教の三教一致を示すとか、神道・儒教・仏教の三教を表すとか議論が続き、神儒仏の三教合一を示すという解釈が多数のようですが、そんな陳腐なことでは毛頭ありません。子どもの遊戯歌につられて筆が運び、蛙の坐禅のように○と△と□が親しく並んで坐禅するさまになった、そこで画賛に「扶桑最

誠実な創作のかたわらに響く妙音。円山応挙『猛虎図』（1775年、大英博物館蔵）
（出典：金子信久監修『円山応挙――日本絵画の破壊と創造』〔別冊太陽 日本のこころ205〕平凡社、2013年、116ページ）

禅画を超えて。仙厓『○△□図』(出光美術館蔵)
(出典:中山喜一朗監修『仙厓――ユーモアあふれる禅のこころ』〔別冊太陽 日本のこころ243〕、平凡社、2016年、108－109ページ)

初禅窟」と墨書した、というのが実際でしょう。○△□に構えはありません。
崇福寺は日本最初の禅窟で、誰でも迎え入れられ坐禅できるところです。仙厓個人の思い入れでなく、禅が誘う開かれたあそびごころで描く超禅画、遊戯三昧境の表現です。すでに禅画とか悟境とかの言表も無用、開かれた人の心が呼応しあうフォークロアのベースになるところがおのずから表出されています。アートを超えるアートです。

生きるスタイル、表現スタイルをあそびごころがどう演出するか、フォークアートと関係づけて概観しました。もう一つ、社会スタイルもあそびごころの出番が多々あります。先にみた祭りや神仏ごっこ、政治や社会上のデモンストレーションや広告宣伝など、現代では通俗的な社会現象になってしまっていますが、変革が必要とされるところです。社会スタイルいかんによってフォークアートも様態を変え、勢いも変えます。社会の表情、思想、体制など壊すべきものは共闘して壊さなければなりません。社会スタイルの革新、それもフォークアートの役割です。共闘に誘い社会の攪乱を画策するのもあそびごころです。私世界から仲間へ、集団へ、社会へ、区切りながら区切りを超えていく自在さがフォークロアの持ち味です。フォークアートも生のスタイルから表現のスタイルへ、社会のスタイルへと、区切りながら越境していきます。パーソナル表現から外へ、ソーシャルへです。仙厓の禅画の○△□のように、個でありながら連帯・連座して現状を超えていく、そこにフォークアートの新しい芽が見えるでしょう。フォークアートはいつも自分に、現実や社会に向き合ってきた〝現代〟アートです。茶道や花道など「道」がつく生活アートのように通俗化は許されず、つねに第一線に立つのがフォークアートです。

［ワークショップ課題］

①凧・羽子板・人形・双六・福笑い・花札など遊具絵を現代風にアレンジしよう。そして新あそび絵の創造へ。

②生活文化（衣食住）を新しく構想し、食アート、衣アート、住アートなどのフェスティバルを描こう。あるいは社会に向け、反原発やのＳＤＧｓ運動のフォークアートなどにも挑戦してみよう。

③あそびごころで名作や自作に手を加え異化して、新作へと変換してみよう。

第10章

ファッションとモード

——生活世界を創出・演出するフォークアート

人・モノを変え、つくるもの

私たちは自分では、自分や社会の事象や現象に自覚的に生きていると思いがちです。しかしマスメディアから流される情報や映像にさらされ、関心をもてないものまでがのべつ流れ込んでくると身体に澱のように不要物がたまっていきます。気づかないうちに心身ともに翻弄されつづけているものもあります。その一つが、ファッションやモードです。社会や現実に関わるかぎり、社会を覆う衣食のモードやアクセサリーや化粧のファッションは、意識するしないにかかわらず、身辺にまとわりつき、それに侵されていきます。モードやファッションは自分に向かって発信されるものでもないのに、なぜ意識にまとわりつくのでしょうか。特に都市空間に流され続けるファッションやモードは、都市の空気になって私たちを浸潤し、私たちを変えていきます。拒否することもできるのに、排除もできない妙な力をもつファッションやモードに振り回され、もてあそばれているのが都市に生きる人間であり、都市生態です。

時代を彩り、社会の空気も演出するファッションやモードは、なぜ、いつの世にも生成され、人やモノの間に侵入していくのか、という疑問は当然湧くでしょう。私たちは、ファッションやモードが気になり、関心をそそられがちです。私たちとそれらはどう関わり合い、私たちはどう対応しようとしているのか。私たちは、自分として、社会内に自分の位置を求め、承認されてかろうじて生存しえます。その生存の作法のベースにファッションやモードがはたらきかけているのです。あるいは生存を安定させようとしてファッションやモードをつくり、利用するというのが、私たちとそれらとの関係です。

私たちはこうありたいという願望、空想を内に抱えて生きています。またおもしろいモノ、珍しいモノなどに囲まれ、それらを利用し、それらと共存していきたい、という願望もあります。自分のことだけでなく、付き合う人、身につける衣服やモノ、参加する仲間や社会の空気など、すべてこうあってほしいと空想することもあります。生きていくうえでの願望や欲望がファッションやモードをつくり、それらが私たちに、社会に、表から裏からさまざまにはたらきかけ、それに乗せられて社会も自分も演技している、そういう持ちつ持たれつの関係がファッションやモードとの付き合いです。それらから毅然と離れても生きられず、それらを拒否する社会もありえません。生きるため、保身や自律のため、自己表現のために、私たち自身の欲望や願望がそれらをつくろうとし、利用しようとするからです。

私たちは自分を変え続けること、自分が変わり続けることが、実感を伴う生と考えています。変化を支え自己演出のサポートをしてくれるのがファッションとモードです。それをどう身につけるかによって、生のスタイル、社会内でのスタイルは決まります。衣服や小物、化粧や装身具などで顔、体つき、身体の細部を工夫し、それぞれをコーディネートしながら、自分に、他者に、社会に向けて開き、また隠す、それが生きる作法です。その演出プロモーター、ディレクターとしての役目を担うのがファッションやモードです。私たちは自分を表現しながら生きます。生きるとは自分の表現です。顔や身体だけでなく、内部の見えない感情や意思なども表現の対象です。身体的表現だけでなく、感情や意思などの表現にも時代と社会のファッションとモードはからまり、色づけしていきます。快い関係、不愉快な関係など、どういう場面や状況にあっても、社会内にいるかぎり私たちはフアッションやモードから逃れられないのです。

自分づくりにファッションはどう関わってくるか

私たちは自分をどう考え、描き、どう表現しているのでしょうか。まずは「私」「自分」とはどんな人間かを問います。凡庸で平均的人間だ、体形や身体能力にコンプレックスがある、などと自己判定し、安心し、落胆します。正確な自己認識はむずかしく、それよりも自分を変化し成長しつづけるものとみて、どういう自分になりたいか、どういう自分が納得のいく自分であるかを考え、自画像を描き、デザインし、それに近づこうと策を弄します。成長を判定するのは自分であり、また周辺の者、仲間や社会です。願わしい自分づくりをサポートするのが、衣服で装い、化粧で顔をつくり、ときによってはボディーペインティングもし、アクセサリーでアクセントをつけ、顔から爪先まで全身をコスチュームとペインティングで覆うコーディネーターです。自分づくりの初歩です。ヒントをくれ、サポートしてくれ、コーディネートしてくれるのが参加している社会と時代のファッション、モードです。自分の好みと関心をベースに、時・場所・状況、TPOに合わせて、相手を意識して自分を装い、つくりあげていく、それが液状化する自分をくいとめる作業、外部と交流するための作法、社会内で存在を保証される心得です。どういうファッションをどう取り入れるかはその人の感性、人柄、能力により、TPOによります。ファッションとの付き合いは臨機応変の取捨選択で、自分の願望、欲望との駆け引きです。生きることは着せ替え人形あそびです。

ファッションとの駆け引きのなかで中心となるのは衣装です。何をどう身につけ、どう装い飾れば自分が描く自分になれるか、毎日が不安定ながらもおもしろい駆け引き、取り組みで始まります。衣服は時代や社会の集約的好み、時代感覚の尺度です。現代はますます多様なコスチュームが定見もなく乱作され、求められてもいる状況です。シンプルや洗練された装いは旧式で、自他を刺激し、おもしろがらせ、目立つことが求められ、それが

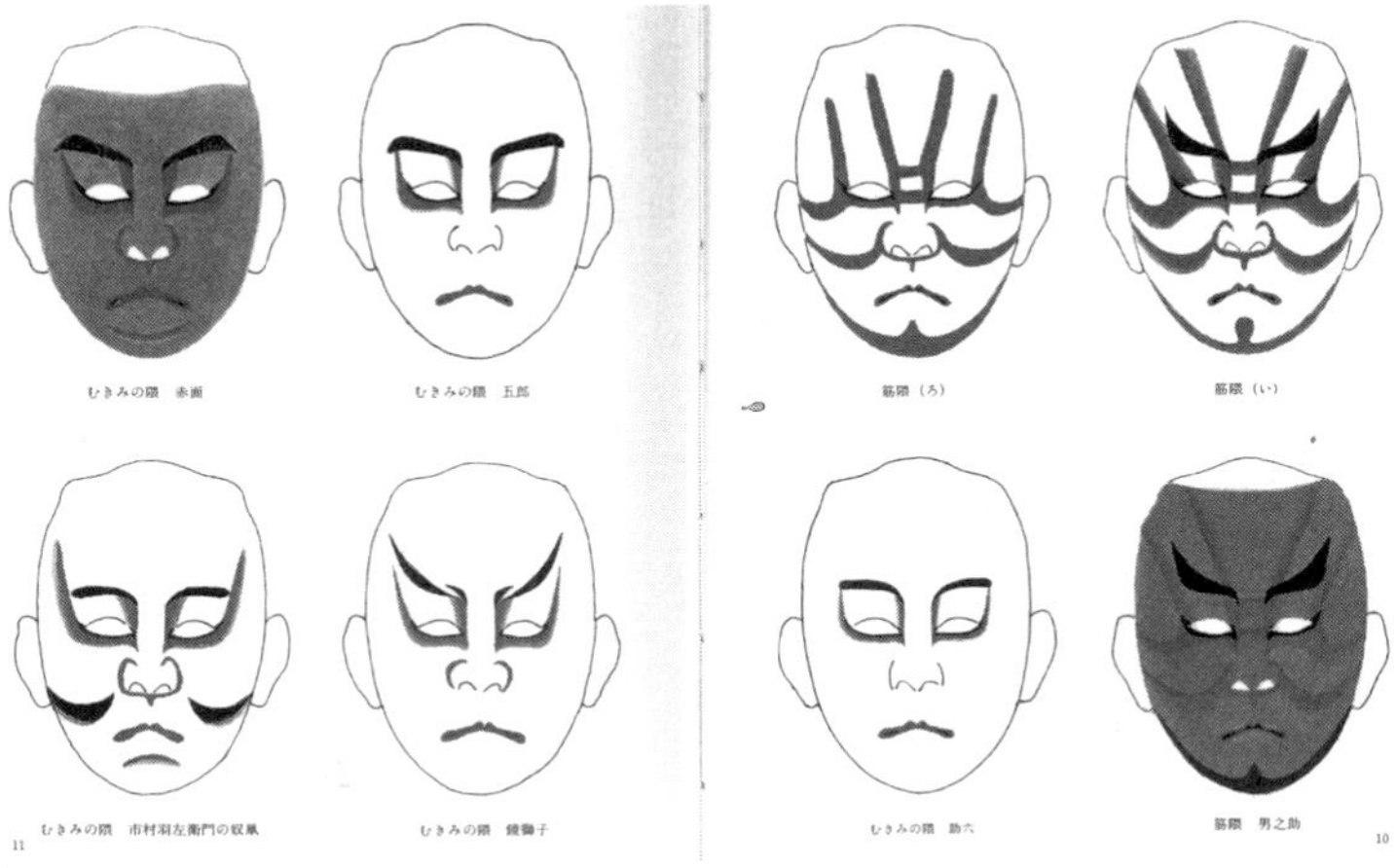

歌舞伎隈取り一覧
（出典：伊藤信夫『隈取り――歌舞伎の化粧』岩崎美術社、1995年、10－11ページ）

ファッションの戦術です。目立ちたがりをすすめ、みんながタレント気分とあおりつづけるのがファッションの商法です。雑多に繰り出される衣服と自分の姿を取り引きし、隠すところは隠し、強調したいところは衣服の我流の着用で工夫し、自分を組み立て仕上げていく、そこにファッションとの付き合いの楽しみもあり、自分の発見もあります。創意工夫のおもしろさに気づき、新奇表現へと駆り立てられていくこともあります。それが、ファッションアートです。かつて衣装哲学という提言があったように、衣装芸術、衣服アートも自立できるのです。自分を考え、自他のあり方を問い、社会生態を問題とするアートです。自分と社会を相互関係のなかでとらえ、双方を止揚してファッションの社会学と美学の統合をめざす衣装哲学、それに基づくファッションアート、衣装アートは、ソーシャルアートとして脚光を浴びることでしょう。

衣服に次いでは化粧です。衣服よりもさらに自分を主体的に粧い、つくりあげ、別人に仕上げようとするのが化粧です。顔にはその人の内面がにじみ出、顔は自分が他者に認められ、社会に容認される窓口になっています。仮面で自分を隠し、自分でなくなってしまえるように、顔はその人そのもの、その人の表現しようとするものを、はからずも外部に開示します。顔づくりは、プリミティブ社会でなくても、古くから、自分づくり、自分表現のキーポイントでした。

眉から目、目尻、鼻、頬、口元、それぞれを強調したり抑制したり、つくりなおしたり、色やつやでアクセントをつけたり、個々の部分をコーディネートしたりして納得できる顔にまとめ、これで社会に参入を認められるかどうか検分します。おもしろみももっているか、魅力があるかなども確かめながら、化粧はひととき完了です。ペインティング、アクセントづけ、部分のコラボレーションで見違えるようになった自分が浮上してくるかもしれません。化粧は、顔という小さい画面ながら創意工夫を投入し、自分を懸けた自分のアート化、アート表現になります。

原住民のフェースドローイング、ボディードローイング、あるいはメイクアップ（出典：アート・デイヴィッドソン『写真集 世界の先住民族――危機にたつ人びと』鈴木清史／中坪央暁訳、明石書店、1996年、259ページ）

顔化粧から頭へ、頭髪へ、頭部の装いへと装い加工は続き、さらにタトゥー、あるいはボディーペインティングやボディーパフォーマンスも含め、ボディーの強調や抑制を試み、脚へ、爪先へ、履物へと身体の細工は展開し、身体はトータルアート表現のカンヴァスになっていきます。身体もその所有者である私も日常性に埋没し平衡状態になじみがちな状態にあって、顔化粧から全身点検と再装備は、身体に揺らぎを与え、揺らぎがアクセント、焦点になって自分を引き立て、他者や社会へ自分の存在を認識させるための符丁になっていきます。外部の目を集めるポイント、すなわち私の問いかけ点、見てほしい点の開示です。自分認識とその変革を経て、自分づくりアートは大きく前進です。

続いては社会的承認を得るためのメーキャップです。自分を表現しながら集団に参加し社会と協働していく存在として認可されることは、私人としての私が公人として存在する絶対条件です。他と和しながら差異を保つ、そういう存在へと

染織と景物画のコラボ。「友禅染 近江八景小袖」
（出典：前掲『デザイナー誕生』174ページ）

メーキャップをするのです。「和して同じず」、協調しても同化はしない、です。それぞれの差異が集団や社会を健全に導き、和を構築していきます。メーキャップは社会性をもたなければならないのです。

自分や社会に向けてのメーキャップだけでなく、あそびとしてのメーキャップも必要です。日常の陳腐さ、社会の不活性、他者が提供するモノや情報や映像やアートの凡庸さ、それらに耐えて生きるのが常態化している現在、それらに亀裂を走らせることも生の活性化に必須です。すなわち、自分に、他との関係に、「間」を入れることがカンフルとして要請されているのです。あそびとしての自分づくり、あそびとしてのメーキャップです。こんな私もあっていいと、従来の私イメージを覆し、珍妙な私をつくりあげて混乱を楽しむのです。あそびが生を根本から健全にし活性化するように、あそびとしてのメーキャップも必ず自分を思いがけない方向へと気づかせてくれることでしょう。あそびアートです。アートはあそびを内包することで初々しいアートになるのです。あそびごころによる私のメーキャップです。

あそびごころが逸脱したところに仮面が出てきます。ここまでは自分の顔と身体のメーキャップでした。地（肌）は自分のものです。しかし顔に仮面をつけると私ではなくなります。仮面は私から私を奪い去ります。仮面による変身に他者は驚き、社会内容認は得られません。仮面かぶりもメーキャップの一種ですが、それは社会的行為ではなく、祝祭的行為、あるいは自虐自棄的表現です。仮面あそびでは無責任・無人称が本性で、仮面の下は自在です。あそびの極端な脱線が自閉的な扉を壊し、社会の腐敗劣化状態を哄笑し解消していくこともあります。仮面あそびや仮面によるメーキャップは自己逸脱による社会攪乱のいたずらあそびです。

衣服による自分装い、化粧による自分づくり、その仕上げをどう確かめるか、それを確認しておかなければファッションアートやメーキャップによる自分づくりも落ち着きません。それを実見し、確かめるのが鏡です。鏡なしには落ち着いて生きていけません。鏡は身近にあって、私たちの行業を見つめ審判しています。鏡の前に立って自分を見つめ、化粧や身体の加工表現を点検し、衣服のコラボレーションを確認して、ようやくメーキャップという自閉的な作業から立ち上がり、外部へ出ていくことが可能になります。外部へ出ていって、自分がパブリックファニチャーになり、パブリックアートになって、社会化へと進みます。ファッションアートの大きな役割です。

以上のとおり、自分づくりは段階を追って多様です。過去の自分づくり／自分の過去づくり、現在の自分の演出、そして未来の自分づくり／自分の未来づくりです。人は自分の過去を自分に都合よくつくりなおし、自己満足し安心しがちです。過去は現在の自分、未来の自分にプラスにもマイナスにもはたらきかけるために、解釈と加工は自己本位になります。過去は現在にあって再創作するもの、現在の自分づくりも自分の都合に合わせた一人芝居になりがちです。未来づくりになると、さらに過去・現在を超えて自己流の造形になっていきます。それら過去・現在・未来の自分づく

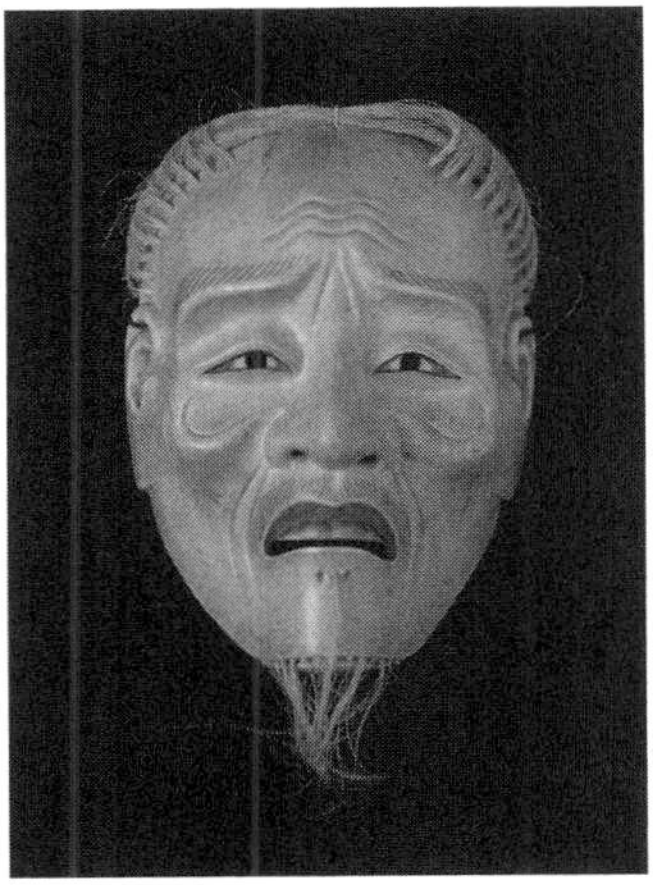

無表情でかつさまざまな表現をつくるもの、能面、右は「少尉」、左は「姥」（日本大学芸術学部芸術資料館蔵、撮影：富岡誠）

りも自分の願望、欲望、空想のさせるもので、人間に不可欠の営み、自分を表現する行為、アート行為です。アート行為はそのとき、生活世界や社会を巻き込み、時代のファッションとモードを含み込んでトータルアートになり、歴史も取り込んだパノラマ景、パノラマアートへと進展していくことでしょう。自分の表現によって自分史が社会ヒストリー、ファッションギャラリーへと昇華していきます。

生活世界のファッション、モードづくり

無数に醜いものが周囲に群がるのを眺めて、私はどうしたらいいかを思ひ惑ふ。町に出れば、店々に並ぶものが眼に入る。（略）厖大な百貨店に足を入れれば、ありとあらゆるものが繰り広げられる。だがそれ等の無数のものから、どれだけ正しいものを選び出すことができる。（略）人間に譬へてみれば、いぢけた者、痩せた者、俗な者、派手な者、きざな者、不実な者、ずるい者、嘘つきの者、気儘な者、狂った者、ありとあらゆる醜さにまつはる者達が雑然と寄り合ふ。（略）どうしてここ迄ものがひどくなってきたのか。

（「工芸文化」、前掲「柳宗悦全集」第九巻）

柳宗悦は醜いものに囲まれた生活現場を見つめて、正しいものに囲まれた美の国づくりを構想し、正しい美を推進しました。民芸運動もその一環で、フォークアートそのものの見直しと実践でした。フォークアート宣言の前、この文章が書かれたのは、昭和中期、新進国日本があわただしい開化政策のもと、従来の和風を踏みにじって付け焼き刃の洋風で身辺を埋め尽くした時期で、大衆が都市に集中する大衆社会になっていました。柳は日本のモノづくりの伝統、モノづくりの思想と方法を訪ねて全国を巡り、職人たちに接し、技と人柄を教えられ、美の本来の方向に気づき、そこに柳のフォークアート哲学と実践道を開示しました。

半世紀近く前のこと、日本民藝館で柳宗理館長（宗悦長男）や、会員の方々と談話していた際に、出された湯

飲みが出雲地方のそば猪口《ちょこ》でした。気転もさりげないブリコラージュの妙ですね、と猪口の湯飲みを手に包んだことがありました。肌ざわり、使い勝手のよさが、物が自己主張せず地味なだけに、茶の風合いをより引き立て、生活具のあり方を手ざわりからも教えられました。その際でしたか、館長が、「父（宗悦）はよく話していましたよ、日常使用するもの、たとえば茶碗、箸、湯飲み、テーブルクロス、手拭いなどこそ、いいものを使ってほしい、特に子どものときから質のいい日常具、使い勝手がよく飾らず品がいい生活具を使うことを当然とする暮らしに、いいもの、正しいもの、美しいものを読み取る力が身についていく」と話されたのです。めったに使用しない贅沢品や嗜好品よりも、美のセンス、物への感性、暮らしのスタイルをつくるのは日用具だとする柳宗悦の持論です。暮らしの美学、充実した生のための本来知です。

現在の状況を柳が見たら、どういう思いをするか、戦前・戦中期よりもはるかに大きなスケールで醜いものが世を覆っているのに驚嘆するでしょう。素材、デザイン、加工、パッケージ、どれも乱脈を極め、「正しい」ものという言い方などまったく通用しない時世です。丈夫で長持ち、使い勝手や品のよさなどよりも、場当たり的、射幸的で、使う人、利用する側の立場を考慮せず、目立つコマーシャル的な物品の重視、生産者の目と立場からのモノづくりが横行しているのです。柳が正しいとしたものは、生産者本位のものでなく、使用する人の目と立場からのものです。私たちもコマーシャリズムの暴力から暮らしを守るために、あらためて身辺を見直すことを迫られています。柳のフォークアートに重ねて現在の関心を取り入れてのフォークアートづくりです。

身辺に、机上に、物は氾濫しています。衣食のための生活具、インテリア、家庭用インフラ、文房具、通信機器など、物を使いながら物に使われて日々を繰り返しています。あふれるものは、ブランド名誇示のもの、高価を見せびらかすもの、自分で楽しむよりも他人の目を意識するもの、ユーモアもあそびごころもなく、絵になるものはありません。怪しげな素材のものが品質を隠蔽するかのように機能的に加工され、人目を引くパッケージにくるまれて身辺にやってきます。コマーシャル商品が氾濫する現代はまたパッケージ文化、表面擬装、擬装アート時代です。パッケージは生産者の本音をカムフラージュするものとなりさがり、中身や実質の充実は二の次というのが現今の物の常態です。いろいろな機能を付加することをサービス、あるいは品質向上とし、食べ物にさえ雑多なものを混ぜ、上へ上へと物を付け足して、素材の本来の味を壊して、添加物によって食べ物の充実とするなど、加上型デザイン、トッピング様式は全商品の常用手法になりました。まがいものの雑多な混合物になじみ、ストレートなもの、素材も工法もともに純粋なものはシンプルとして敬遠されがちです。物を味わい使用する感性や能力の劣化を顧みない無責任な他人行儀の判断によるものです。価格とパッケージとブランドが物を判断する基準尺度の時代・社会からどう脱出するか。経済の価値観、政治社会風潮、マスメディア情報機構、都市民の生活様式をみるとき、それらを改革しながら脱出する方向は容易に見いだせません。しかし醜い工業製品に抗して、民芸運動が各地方と協調しながら、職人たちが協働して成熟していったように、フォーク力によって、名を誇示しようとしない人たちによって物が着想され工夫されていけば、新フォークアートが出現してくるでし

リトグラフはファッション界をリードする。アンリ・ド・トゥールズ・ロートレック『ジャヌ・アヴリル』1899年（出典：パリ国立図書館監修『世界版画大系』第8巻、筑摩書房、1973年、139ページ）

女性ファッションの先駆者、竹久夢二と中原淳一。
右：竹久夢二『日本之雨』板（水彩、1932年）
（出典：富山秀男／弦田平八郎編『竹久夢二／青木繁』〔「アート・ギャラリー・ジャパン／20世紀日本の美術 ジャケット版」第12巻〕、集英社、1986年、2ページ、図2）
左：中原淳一『たけくらべ』（1955年）
（出典：中原淳一画・著、ひまわりや監修『新装版 中原淳一画集』講談社、2011年、1ページ）

ょう。主張よりも現代の正しい美を追求することに専念する、それがこれからのフォークアーティスト、フォークスタイルです。

身辺から外へ、ストリートに出ても、醜いエクステリア、醜いストリート情景は高じるばかりです。いま都市景観は、特に東京などの大都市や工業商業都市は、生活景を破壊した生産者本位の都市、居住民には暴力的な使い勝手が悪い都市となってしまいました。そんな社会相、都市生態に抗して、大企業や開発業者など生産者側には無用・じゃまなものを介入させることも、殺風景を風刺批判する一法となります。ポップアートもバンクシーもそういう機能を果たすべきでした。広告やポスターや看板など生産者本位でなく、都市居住者や訪問者向けのサービスに徹し、あそびごころと絵心で都市空間、ストリート景をつくりかえていく、それもフォークアーティストのひそかな企み、作品発表の戦法です。都市フォークロアの必要性が議論されながら進展も見ないままに沈滞していますが、都市フォークアートを試み実践するとき、都市の空気も表情も変えることができる最有力アートとして新生するでしょう。フォークアーティストは環境デザイナー、プロモーター、ディレクターとしてトータルアーティストの役目を期待されていくはずです。さあ、新しいポップへ、都市のラベル貼り替えへ、冒険です。

一九六〇年代から歩行者天国というセンスがない珍奇なことが鳴り物入りでおこなわれ、いまも残存していいます。アースアートやストリートアートの試みもなく、かつて銀座でおこなわれたハイレッド・センターの清掃の試行、アクションペインティングの演技のような、沈滞した社会に向けての挑発や抗議もないのが現在です。ストリートや市街地にあるのは、批判精神の乏しいライブ（ソング、ダンス）、反抗する力も意欲もないライトミュージックやノイズ化したアート（ポスター、照明、広告、電光）で、体制的アクセントが都市景を汚染しているだけです。アートの社会や都市へ向けての発信も、アクションアートとしてのフォークアートの自覚すべき役割です。つくる者、見る者、ひやかす者、飛び入りする者たちの合作と合奏と合演へと進めば、都市フォークアートは大きな前進と成果になります。都市にフォークロアが生まれ、フォークロアが語られて都市生活を意味づけ、都市は特化されていきます。

商品としてのファッションやモードの浮薄さ、非生活性から脱却し、地域や都市区域ごとにそこにふさわしいファッション、モードをフォークロア、フォークアートとの協働で模索し実践してみましょう。かつて新宿はそんな試みのフィールドでした。たとえば、いまの商業化され尽くした新宿を部分ごとに特化し変えていき、区域ごとに相応のファッションとモードを新調するのです。ファッションもモードも広域を覆うものになれば、地域によっては暴力、抑圧になります。地域や区域の表情を吸収し、場所と人々と協働し、地域・区域のための表情を新しく創造しつづけていくのがファッションとモードの本来の姿勢です。ブランド志向、表面的なデザイン志向から、共同体や場所、地域との協働志向へ、自分やつくり手が主張するアートでなく、社会や都市に向けての身体表現、みんなでわいわいと合作するパフォーミングアートへとスライドしていくのです。フォークロア、フォークアートは古い衣装のように見えますが、フォーク力をベースにするかぎり、都市や社会、地域の先端と基盤にあるべきものです。古びてしまったのは、芸術の考え方です。芸術は個々が個性と美意識で個を表現するもの、とされてきた陳腐な考えを棄捨し、フォーク力という、再生エネルギーに立脚し直して、表現ということを根本から考え直していきたいですね。

パーソナルアートからフォークアートへ

現在は、生き方も表現もモードやファッションもすべて受動型の時代です。能動的でアクティブな表現も乏しく、一見、能動的に見えても目立つのがねらいのスタンドプレー、人騒がせなパフォーマンスにすぎません。衣食住からアートまで、情報もマスメディアや企業によって作為的に、しかも無責任につくられ流通されつづけます。それを押し付けられ受容するのが私たちの生活世界で、私たちは管理・操作される対象としてとらえられています。管理・操作する側のレベルや能力、考え方や目的を想起するだけでも恐怖にとらわれそうになります。管理・操作されることを完全拒否することは、すべてが管理・操作体制になってしまった以上、至難です。しかし突破口もあります。古めかしいですが、ローカルへ、手づくりへ、です。かつて文化も風俗もモードも手づくりでした。特にアートはそうでした。手づくりを支えてきたのが場所と自然と、地域に生きる人たち、それらがつくる共同体、フォーク力でした。共同体の協働はローカルでありながらほかとも対等に積極的に交流交歓しながら、ローカル色の独特の文化やアートやモードをつくりつづけました。所変われば品変わる、のとおり、文化もアートもモードも、特に手づくりの物は姿形から風合いまで変わります。狭い地域ながらその風土のフォーク力から固有のファッションも生まれました。フォーク力で協働しながら共同主観で表現する、差異を自覚し差異を共同主観のなかで表現する、そこにフォーク力に根づいた独創的でローカルな味わいも成長していきました。共同主観は、無名性を装いながら、場所性をもち、没個性にみせ、地域や共同体に埋没しながら、自分を、一つの生き方を、さらには自分や自分の個性を超えるようなものまでを、それぞれに表現させてくれます。地域を彩るモードなど、共同にして個も見え、その典型です。共同体や地域の空気を体現した多様な超個性的個性とでもいうべきものの表出、そこに管理・操作される社会からの突破口、脱出口が見えてきます。超個性による文明批判です。それぞれが差異をもち差異をお互いに認め合って協働するのが共同体のあり方ならば、そこに民俗知も集合知も、そして新規の個性知も胚胎してきます。フォークアートもフォークファッションも互いに競い合うところに妙味と力があり、現行のコマーシャリズムから生まれるファッションショーとはまったく異質のファッションショーも創出されます。超個性の集合体による集団競演ショーです。

パーソナルアートの時代は終わりつつあります。終わるべくして終わるのです。管理・操作社会にあって管理・操作されることに反抗せず、社会を受容して形成される個性やプライベート性など個性とはいえません。受動的生ではアートもモードもつくる必要もなく意味をもちません。操作を拒否する能動的生にこそ文化もアートも誕生をみるのです。求められているのは、個々自由といいながら管理・操作によって均一化・作為化された人間がつくる社会ではなく、無名でありながらも自律した人たちが営む共同世界であり、管理・操作される社会でなく地道な共同的生活世界です。モノと肌で接する生活感覚、手づくりの生体感覚、共同主観による超個性的個性、それらの協働作業を共同体メンバーが身につけるとき、柳宗悦の時代から飛躍したフォークアートが新生するでしょう。無銘の井戸茶碗や陶器、絵画、各国各地の民族衣装、民俗ファッションなど、制作者の名前を喧伝しないモノ、アートにはしみじみした美があります。ローカルな深みから、練られたつつましい個性から生まれてくる表現＝アートが、騒々しい管理・操作社会を打ち破る先兵になることでしょう。何度も繰り返しますが、各人の個性は共同主観の洗礼を受けて輝きだします。フォーク力はそういう方向に表現＝アートを導いていくことでしょう。生活世界のモードも刷新していくことでしょう。

［ワークショップ課題］

①化粧や衣服、仮装でメーキャップして多彩な自分をつくろう。自分マンダラ画を描こう。

②商業ファッションを排し、ローカルなフォークファッションをつくろう。モードの地殻変動へ。

③生活世界をファッショナブルにし、アート気分を排したフォークインスタレーションをつくろう。

第11章

内部アートから環境フォークアートへ

――インナースケープとアウタースケープの協闘

インナースケープはどこへ向かうか

私たちは自分の内部にどんなイメージ、映像を抱えて生きているのでしょうか。内部にあるイメージを思い浮かべてください、といわれてもイメージは浮かばず像を結べません。内部にあると想定されるイメージは外部からの刺激、ヒントによってはじめて現出します。有名な例ですが、二十世紀初期の大作家マルセル・プルーストの『失われた時を求めて』の一シーンです。主人公は、あるとき、紅茶にひたしたマドレーヌを口にしたとき、即座に思い出がよみがえり、思い出すこともなかった幼少時のシーンをありありとイメージとして描き出します。この場合は嗅覚と味覚という外部からの刺激によるイメージ喚起でした。イメージを喚起するものといえば言葉です。山という言葉から人は、それぞれ抱く山のイメージを、川という言葉から各人が抱く川のイメージを浮かべます。言葉はイメージを牽引し、言葉なしに内部のイメージが想起されることはまれです。「はじめに言葉ありき」は『聖書』のオリジナルな託宣でなく、人間が生きるうえでの基本なのです。言葉がイメージを引き出し、自分の思いや考えをはっきりとさせ、言葉はイメージを伴い、イメージと協調して、内部世界、気づかなかった考えや思いを知らせてくれるのです。言葉の喚起力を利用した精神療法があります。療法というよりも人の内部を読み取ろうとする精神分析学、人間学の基本です。日本の精神科学のすぐれた指導者・中井久夫が創案した風景構成法です。風景構成法は人のよりどころでもある原風景、内部風景を察知しようとする人間認識の方法です。人は内部にどんな風景を抱えて生きているのか、関心ごと、悩みごと、創作の動機なども内部に潜んでいるならば、内部景を知ることは、人を、自分を、理解する最上の方法です。かつて原風景という言葉がもてはやされましたが、たしかに人はそれぞれの原風景を抱えて生きています。原風景はわかっているようで当人にも不分明のもの、しかも、それをもつことの自覚はその人を支え安心させるとされてきました。内部にある意識化されない風景のことで、不明瞭そのものの心象風景と同質のものです。

中井の風景構成法は、はじめに、クライアントに水性ペンと四囲を枠取りした画用紙を手渡します。「いまから私のいうものを、一つひとつ、私が唱えるたびにこの枠のなかに描き込んで、全体が一つの風景になるようにしてください」「画の上手下手をみるのではありません」「あなたの風景だからどんな風景ができてもいいわけです」と説明したら開始です。「まず川を描いてください」。続いて山です。川、山、田、道（大景群）、そのあとに家、木、人（中景群）と続き、花、動物、石とか岩のようなもの（近景群）の十アイテムが告げられ、その順に描いていきます。そして「足らないと思うもの、描き足したいと思うもの」があれば描き足し、彩色して終わりです。多様なものが描き出され、描いた当人が当惑することもあります。風景ができあがったあと、季節は?、この人は誰?、何をしている?、誰の家?など、カウンセラーが必要と思う質問をし、描いた風景の背景や意味を読み解き確認しあいます。

風景から描いた人の物語が出てきます。描かれた風景は眼前の景でなく写生でも模写でもありません。言葉に触発され想起された内からのイメージ、内部風景です。言葉の刺激によって、意識することなくあいまいな心象でしかなかったものが、画像になって出現し、当人の物語をつくりだしたのです。描かれたのは意識・無意識のなかに刷り込まれながら顕示されなかった原風景であり、心にしまわれているイメージです。膨大な生活暦のな

貴族文化でありながらプリミティブなフォークアート「舞楽面」（出典：国史大辞典編集委員会編『国史大辞典』第12巻、吉川弘文館、1991年）

かに蓄積され、アマルガムとなりマグマとなっているもののエッセンスの発現に描いた当人も驚きます。言葉が内部景、心象イメージを誘い出し、深層古層を表出させ、問われるままに自分の物語を紡ぎ出す、それが風景構成法のねらいです。自分の気づかない自分が出現し、対話するのです。

二十年ほど前までは、美術系や文芸系の学生たちと風景構成法をしていても、いつも笑い声や驚きがありました。しかし近年はおもしろい風景、ユニークな心象風景を描く学生はきわめてまれになりました。独自性に乏しく実感が伴わない風景ばかりです。共通に見られるのは、山や川、田や動物などというアイテムへの共感のなさです。自身の心象景でなく、知識としての景で、土地や場所を感じさせないのです。それは現代の都市化社会、人間の生存環境のせいで、いまは風土や土地に根づく風景を知らず、関心もないままに生きているからでしょう。私たちの内部から風土や場所で体験する風景が消失し、内部に揺曳しているのはマスメディアやアニメ、マンガの映像など、共通に享受する人為映像の景色です。生なものは生活圏から漸減し、他者によってつくられた人工物や人工景に覆われて生きているのが実態です。個々の原風景のような不安定で生々しいものは、みんなと一緒という規格化された世界では嫌われ、互いに納得できる人工物、人工景を共有するのが生存作法と化しつつあります。その表れの一端が近年の学生の風景構成法による画で、実感がない人工的な内部景になったのです。それははっきりした個性よりも、分散化していく自分のイメージを楽しむ流れとも通じ合う現象です。一人でなく、場所・状況・仲間に応じていろいろに変わるのが私だ、とする分散セルフを是とする姿勢です。変容しつづける私、液状化する私こそ私だ、とする姿勢は、創作物のキャラクターへと変身するキャラ人間たちに同調していきます。そこに個性ある内部景、生活暦がにじみ出る原風景が出現するわけもなく、私は多様なキャラや役割を演じ分け、仲間と似たり寄ったりの内部景をもつ人間へと化していくのです。個的人間から仲間的人間への変容です。

若い世代は古い風景のなかに生きていません。風景は生活環境から遠ざかっていったからです。生かされているのは情報化社会、メディア環境、人工時空間です。それを受容させているのが、個性もなく発揮もできず、似たり寄ったりを安心とする風潮です。覇気がない世代、怒りがない若者たちは、与えられた人工景にどう生きているのか。現状に対しおそらく本心はノーでしょう。人工技術が進み、人間も社会も管理・操作するデジタル化に抵抗して、少しは自分でありたいという声を発するのが正常ということでしょう。それならば、いま置かれている生存環境を逆手にとって、納得できる風景を創造するべきではないでしょうか。現状の環境や体制を見つめ、そこから従来の風景構成法とは違った新しいアイテムを見つけだして、未来志向型の風景構成法を創造してはいかがでしょうか。現状の殺伐たる風景体験とは異なる、新型の「生《なま》」を見いだし、人工的で暴力的な景観を追放する道を模索するべきでしょう。そこに内部景・外部景を含め風景の新構築がなされ、アートに新風を起こすでしょう。古いものを拒否し、目新しい擬似物や夾雑物を破却し、そのうえに新規のものを手探りする、それが創作であり、表現の原点です。

新しい風景構成法をつくる

新しい風景構成法のアイテムは、人工景観内での生存を考慮して、水（海、川など）、ビル街（工業団地なども）、

新しいインナースケープの試み、アヴァンギャルドのなかの化物たち。篠原有司男『モーターサイクル・洗剤マン』（1993年、ポリエステル、プラスチック、顔料、カードボード、作者蔵）
（出典：『万博七唱、岡本太郎の鬼子たち』展カタログ、川崎市立岡本太郎美術館、2000年、84ページ）

住宅（戸建て、マンションなど）、公園、道（ストリート）、人、植物（盆栽も含め）、動物（ペットも含め）、乗り物（交通機関）、そして最後を空とします。画の仕上げは、必要と思うもの、たとえばコンビニ店などを付け加えるのは同じです。カウンセラーとクライアントの関係も問いかけも同じです。さあ、どんな風景が内部から出現してくるか。おそらく生活臭や土地の気配はなく、日常どこにでも見かける都市の乱雑な景です。しかも学生たちに共通点があります。ビル街の圧迫感、住宅地の貧弱さ、ヴィスタがない道、木々はまばらで、自分の家も人影も薄く、動物も生き物というより愛玩物です。そして最後の締めになる空は、描く場所もなく、乱雑な都市の上に残る空虚な空間という感じです。どれもどこかで見た景観です。そう、類型化されたアニメやマンガで見たような背景と同質の景観がほぼ共通に描かれているのです。都市化・情報化社会にあっては身辺から自然の風景が追放され、人工化技術化を強調する動画スタイルが内部景として侵入してきたのです。これが今日の内部景、索漠とした原風景なのです。みんなが似たり寄ったりの平均的感性をもつことが現代人たる要件です。小さな差異だけを強調し、大所高所は同じ、メディアや体制側からの網にすっぽり覆われているのです。それを安心安全として、平和な状態に浸っています。個性と称して小異を盾にして波風を立てるなど、都市集中化体制では笑劇になってしまいました。

新しい風景構成法で描かれた風景を確認しながら、生きている場、そのスタイルを再考してみましょう。新しく描かれた風景は自分を、社会を、現状を、映し出す鏡、鋭く私たちを見返す反射鏡です。現代人の愚や蒙を気づかせる反面教師です。戦慄を覚えるようなメディア的人工景を、従ってはいけない虚偽景として見つめ、その人為景を相対化し打ち壊すことで、私たちはもう一度、自分の内部景・原風景の必要性に気づくことでしょう。殺伐とした風景は多くの人に共有されています。類似の風景を内包している人たちが世界に浮遊している現代、個性の意義が解体しつつある社会、そこに個性を超えた無個性の連帯によるもう一つの個性、共同体や仲間による集合的個性が出現するという可能性もあります。新しいタイプの民衆がつくりだす新型フォーク力によるフォーク知の生成です。そこに似寄りの感性と能力で連なる新型フォークロア、殺風景からの乗り越えを願うフォークロアも生まれます。それは個性を超える集合知フォークロアとなって、かつての民俗学とか民話とは質もスタイルも異にするものになるでしょう。個性に元気がないなら、似寄りの社会なら、それを逆手にとる、メディア的人工時空間も風刺しからかって利活用する、逆手にとるには社会も現状も正確に認識し把握しなければなりません。的確な認識が鋭い逆手を繰り出させます。要は現状の気づき、怒り、認識、そのための逆手戦法、冒険、試作です。創作の基本ルートです。内部景・原風景の創造もルートは同じです。逆ねじを食わせるような乱暴な現実対処法であり、創作方法ですが、活気はあります。人工技術化社会、合理的効率本位体制に培われ、またそれに反抗する珍奇な現代妖怪、化けものもいます。アニメなどのつくりものでない生のお化けが徘徊しています。悪だくみするもの、何の意味もないナンセンスそのものも怪物であり、現代の表出です。それらを新しくフォークアート、フォークロアとして見つけ、語り、描こうではありませんか。新型妖怪時代です。そして怪しく鋭い新型フォークロアアートの創造です。柳田國男が期待した「不幸なる芸術」「笑いの本願」の再生です。

フォークアートとしてのアウタースケープへ

インナースケープも半世紀を経ないうちにすっかり変わりました。近現代社会を通じて強調されてきた個性も風化し、目立つ個性も乏しい非個性化が主流になり、集団や共同体の平均的な感性や考えがフォーク的個性になっていきました。土地や風土に根ざした風景も劣化し、経済力の指標を示す人工技術景観が生存環境を覆っていきます。その趨勢にどう立ち向かうか。現状の景観を逆手にとって、それを風刺し批判し改造に努めることです。それが現実を生きる誠実さ、特に表現者が体現すべき誠実さです。さあ、人間味を剝奪する殺伐たる景観、アウタースケープへの挑戦です。

私たち日本人は景色を愛し親しんできたとされています。はたしてそうか。『万葉集』では目にする外部の景色、外部景に対して、「見る」「見ゆ」という表現が多くみられます。飛鳥・大和の景、瀬戸内の船旅の景や地方との往還の陸路の景など、珍しい景を「見ゆ（見える）」と楽しみ、「見る」ように努めもしました。外部景への好奇心もあり、それが素直な歌になりました。しかし景色を「見る」という姿勢は長く続かず、平城京時代、八世紀初期には「見る」「見える」関心から、外部景を「思ふ」「しのぶ」行為へと移行します。外部景を目にしながら恋人や妻、わが家などを「思ひ」なつかしむのです。「見る」外部景から「思う」外部景への転調で、アウタースケープは「見」てのとおりを表現するものではなく、それによって、「思い」出すこと、「しのぶ」ことが歌の主テーマになっていきます。歌から見えるはずの外部景は消えていき、平安時代初期、『古今和歌集』では「見る」自然は関心の外で、外部景は「思い」を誘い出す契機にすぎなくなります。景色の直叙は歌から消え、歌は思いを述べるものとして、以後、千年以上も日本文学の主流、モデルとされて順守されてきました。「見渡せば」とか「眺むれば」と詠んでも、外部景を借りて「思い」を述べることが歌になり、文芸になってしまいました。景色も風景も文芸の主対象でなくなったのです。そんな自然との不自然な長い付き合いのなかで、本来の風景はすっかり遠ざかり忘れられていきます。土地に根ざして生きる体験の貧弱さ、場所を場所固有のものとして「見る」生の姿勢が都市に居住する人たちには欠落していたからです。

私たちは外部景を景色（風光）、風景、景観に大別しています。景色は眼前に見える景の総称です。自然と、土地や場所と、そこに生活する人たち、共同体が歴史を重ねて協働してつくりあげたのが風土で、自然と人間、社会と歴史によって生成された土地固有の表情と味わいをもつものです。風景はそういう風土の表象、風土の顔です。風土の自覚なくして風景は見えず、感知もできません。風土を知り風土に共感して風土の景、すなわち風景を意識的にテーマとして表現化したのが俳諧の革新者・芭蕉でした。風景は、芭蕉まで表現世界で正統な位置をもつことはなかったのです。その後、写生表現やリアリズムによって風景表現を主流にしようとする動きはあったものの、大きな流れになりえず、近代化促進、戦争体制、経済優先政策、地域社会軽視を経て、風土の景、風景は破壊され、人為的景観が日本を覆うという事態になっていきます。経済力を誇る日本は人工技術がつくる経済景観大国になってしまいました。それが新風景構成法の発想土台とした状況でした。生活を感じさせない、生活世界を排除する景観に覆われて生存する私たちの内部景も、暴力的外部景になった景観に侵されて殺風景になっていくのです。

そこに生まれるのが先に述べた逆手にとる反撃です。殺風景な内部景を共同体、フォークの共同景として、個々が抱く内部景から共同体の共同主観の景、共同景へと集約し、これが現代の風景だ、と開き直るのです。インナースケープの協働によってアウタースケープへと展開する、それを個からソーシャルへと進む社会の基本路線とするのです。個々のインナースケープの貧弱さから開き直ってのアウタースケープづくり、その思考転換と刷新の試行です。

地域おこしがかけ声ばかりで成果を上げないのは、経済力だけを指標にして、風土への関心も薄いのに風土を新生しようとする意欲の貧困さと虚偽性によるものです。まず地域を語れるような新しいシンボル、中心軸づくりです。中心軸を中核として風土の景、風合いが生成していけば外部景も見直され、成長し、共同のインナースケープも変容し成熟していくでしょう。生活世界としてのアウタースケープづくりがフォークアートの大きな役割になっていくはずです。場所のシンボルアート、中心軸を共同主観の表現として立ち上げれば、協働制作のなかから集合知としてのフォーク力が育ち、個では表現できない地域に根ざしたアートが定着していきます。地域から浮き上がった芸術祭やアートイベントや環境アートとは一線を画すアート、場所とともに制作し場所の表情をつくるフォークアートが、現代のアート界を刺激することでしょう。アート制作はイベントやフェスティバルをおこなうことではなく、場所と人々の協働が本道です。共同体が容認する小異を集約し発酵させていくのがフォークアートの持ち味です。

アウタースケープのアイテムづくり

内部景の劣化を防ぐためにも、生活世界の見直しのためにも、外部景の充実や刷新は必須です。生存や生活を芝居に見立てれば、身近な大道具・小道具を点検し、それらの改良、修正、変革が共同体内に暮らす者が共有すべき仕事になるでしょう。新しい風景構成法のアイテムを取り上げて点検してみましょう。

小道具では植物、動物、街路樹。芝生を使い、ストリートを季節の演出者として復活させます。ここに、雀や燕、昆虫を誘い込んで木々のざわめき、鳥や虫のさえずりを聞く小舞台とするのも一法です。水を大道具として利用するのが現状都市空間ではむずかしいとなれば、街路脇に小溝を設けたり、ショーウインドーのように通りに面するところは二、三階から数メートル幅で水を落とします。瀑布は街とストリートの表情を大きく変えます。噴水にかわって落下する瀑布は力感があり、小溝に注ぎ込んでは街路を引き立てます。小溝の水は公園内の樹木の間をぬって池へと注ぎ、循環する流れが硬直しがちな都市に揺らぎを与え、空気を変えていきます。

実用本位のビル街の表情を変えることはできるか。昼間は壁面やショーウインドーを瀑布とし、夜は街全体の明度を下げて夜を演出し、壁面やガラス面に光と映像を照射し、昼間とまったく違う表情へと変えるのです。夜は暗いのが本来の姿です。夜の暗さを演出し、暗さのなかに光アート、映像アートをビルごとに競演し、街が自ら演出に乗り出すとき、パブリックアートも成長していきます。

都市空間の主役は道、街路です。ストリートは人、モノ、情報、事件や事故が集中し生起する都市の動脈です。そこは小道具がランダムに置かれ、気ままな都市性を表現しています。ストリートはセンス欠如のシンボルゾーンともなっています。どう洗練するか、集合的アートの出番です。

なつかしのヴィスタ景。『江戸駿河町越後屋店外図』（制作年記載なし、東京三井文庫蔵）
（出典：国史大辞典編集委員会編『国史大辞典』第11巻、吉川弘文館、1990年、「日本橋」図13）

ストリートが大道具的役割をなしうるのは、現状都市ではヴィスタとしてです。不連続の街を連続体としてとらえられるのはストリートで、ヴィスタは見通しよく遠くへ目をやらせる演出です。かつては日本橋駿河町通りから西方、江戸城の富士見櫓の彼方に富士山を望見できたように、ヴィスタは近・中・遠景を結びながら、街そのものをダイナミックに機能させました。ヴィスタが威力を発揮するためには街路に進出した不要物、広告看板などを見直す必要があります。不要なものを整理し都市の血行をよくするのもヴィスタです。空がない風景も風景画も生気はなく、ヴィスタが都市に空を取り戻します。

狭くて高いビルに挟まれたストリートは空に向かって開かれたパサージュです。パサージュとは十九世紀のパリを象徴するアーケード街のことです。両側のシ

未来を見つめるヴィスタ景としての「広島原爆記念公園」（広島市）
（出典：『ことりっぷ 広島・宮島』昭文社、2020年、50ページ、図1）

ョーウインドーやガラス越しに見える店内など、通りのファニチャーや絵看板も含めて、人とモノとが合作する展示アートギャラリーともなります。パサージュ的ストリートがファッションギャラリーとなり、都市の先端的な空気を演出し、その演出がアートになっていきます。狭い街路はパサージュ機能とともに、夜は表情を変え、シャッターという壁面がカンヴァスと化し、アート制作を誘いかけます。浅草の仲見世通りのように。下ろした店のシャッターはカンヴァスとしてその街を語る表象になります。カンヴァスに描く題材は街の物語、民話、落書き、土地のファッションやモードがふさわしく、そのカンヴァスからきっとフォークロアの語りとフォークアートの共演が育っていくことでしょう。街には壁面、シャッター、塀など、光アート、映像アート、広告アート、ドローイングに誘いかけるカンヴァスがあふれていて、シティーアート、パブリックアートへと誘導しています。新しい壁画運動による街おこし、都市新生アート活動です。

パブリックパーク（公園）もパブリックアートも見直す時期です。行政が公園をつくって、市民に与えるのではなく、土地の人たちが意図を共有して協働してつくるものです。パブリックアートもアーティストという個がパブリックのサポートを得てつくるものでなく、予定地を共有する人たちが、公私を含め、共通願望を集結してつくりあげるものです。パブリックパークからフォークパークへ、パブリックアートからフォークアートへ、それが新しいアウタースケープ、フォークアートの活路になっていくことでしょう。

ストリートカルチャーとしてのフォークアート

ヴァルター・ベンヤミンはパサージュを十九世紀パリのシンボルとし、「時代が見る夢」「集団的意識」の具体化、集団と時代の欲望の表出と把握しました。遊歩者は親しい室内のようにパサージュを巡り歩き、都市の顔を楽しみました。日本ではパサージュ的時空間はどこか。集団的意識や共同的欲望のあふれるところ、盛り場です。ストリートが交差する「辻」は盛り場の原点です。かつての辻は人・モノ・情報が集中し、商いを中心に、何でも受け入れ楽しませました。近世では盛り場は戯場・遊里とともに三悪所とされ、庶民的なモード、文化、芸能を生み出しました。近現代ではにぎわうストリートが盛り場、繁華街になり、都市のシンボルゾーン、集団的意識の集中表現の場になりました。ストリートは公道や大道から裏路地まで、大動脈から毛細血管まで、いろいろな機能で都市の生態を支えてきました。

パリのパサージュ景
（出典：鹿島茂『パリのパサージュ――過ぎ去った夢の痕跡』〔コロナ・ブックス〕、平凡社、2008年、81ページ）

　ストリートは、盛り場やパサージュ同様、何でもありの時空間です。ショッピングから散策、主張やメッセージを描いた旗やプラカードを掲げてのデモ、シュプレヒコールや歌声が呼応する集会など、アートとサウンド、あそびとパフォーマンスの共演の場ともなります。ストリートはさらにドラマやページェントの舞台になります。社会劇の舞台や、家族や恋人たちとなれ親しむホームドラマ、メロドラマの背景にもなります。ストリート上

フォークロアを湛えてグローバルアートへ。イサムノグチ『モモタロウ』（御影石、1977年）
（出典：美術手帖編集部編『現代美術——ウォーホル以後』美術出版社、1990年）

ではダンス、ソング、ボディーパフォーマンス、カーニバル、演説、ポップアートが繰り広げられ、時空間をノイズでカオス化しながら、集団的意識の発散と享受の舞台にしています。ストリートが流動体であるように、流動的な文化がストリート上に流れ続けます。アートを志す人にとって、ギャラリー、イベント、見せ物、流通ショーとしての機能をもち、モノと表現にあふれ、時代の意識とモードと欲望によってつくられ流動しているストリートは、屋内ギャラリーやアトリエと次元を異にする開放のアトリエ、ギャラリーです。そこで外部景をつくり、社会劇を演じ、ショーのような壁画、アースアート、シャッターアートに大胆なドローイングを試みるとき、アート世界は、笑いや声援をもって受け入れる遊歩者や通行人、都市住民に支えられて、現代の都市民の集約的意識と欲望をのみ込んだフォークアートとして発展するでしょう。そこではアートに枠はなく、アート同士がコラボレーションし、つくる者と見る者が協働制作します。新しい型のフォークアートの創出です。ストリートとフォークアート、フォークロアは、都市民を介してコラージュしあい、トータルコラボレーションを演じ、新生都市アートへと導きます。アウタースケープの舞台化、身近な背景化です。

ストリートはカルチャーセンターになります。かつて辻にはあらゆるタイプの人・モノ、情報、アートや見せ物、ショーやスペクタルが集まってきては、カオスの混沌のなかから日常の常識世界になかったものが出現しました。フォークアート、フォークロアは、そういうカオスに目を向け耳を傾けるところに自生します。土地や場所となじみ合い、異質な参加者、住民と協働作業を続けていくうちに、共同主観が熟成し、共同アートへと進展していきます。共同空間を慈しむ協働知の成果です。

まずは新旧の風景構成法で自分の内部景を確認してください。狭小ないじけた個性にしがみつかず、開かれた個性、みんなと通じ合い語り合える共同個性があることを自覚し、超個性を目指してアート表現を試みてみましょう。個的でありながら集合知による開かれたアートに気づくでしょう。次いで外部景を超個性の目で見つめ、現状の荒廃に気づき、アウタースケープの改造と変革へと向かいましょう。ストリートファニチャーやショーウインドー、広告やポスター、壁画など、手近なところから街の表情を変えていく、街づくりをしていく。そこから土地に、社会に、現実に参加する行動的フォークアートへと伸展していくでしょう。アートは自閉的営みでなく、内外に開くアクションです。すべての表現ジャンルはアクションに始まりアクションで結果を出します。さらにそれらをコラボするというアクションが加われば、アクションアートは新しい力と表情を獲得するでしょう。自分の内部や屋内から、外部へ、屋外へ、外部景へ出ていき、そこを空や水を感じ取れるアトリエ、ギャラリーとして、アートアクションに挑戦してください。自分も含めたみんなのフォーク力の大きな声援も湧き上がってくることでしょう。

［ワークショップ課題］

①自分のインナースケープを見つめ、夢や深層意識を盛り込んだ自画・自撮写真をつくろう。

②ストリートこそ生きる舞台、ストリートを演出して、ストリート景、ストリートカルチャーを描こ

う。お気に入りのストリートを思い浮かべ、新生してみよう。

③これが生きたい環境だ！　環境アート、環境アートピアを夢想し、創造してみよう。

第12章 パーソナルアートからソーシャルアートへ

――フォークアートが表現世界をリードする

印刷・複製がパーソナルアートを超えていく

二十世紀の後半から末期、二十一世紀をまたいで、社会にも企業にも大学にも、そして個人にも、自分の決めた枠に閉じこもる自閉的現象が目立ってきました。それに輪をかけたのがIT機器の浸透です。仲間や共同体、社員同士などというグループの直接的結び付きは減少し、新型コロナ感染症禍も影響し、近年はオンラインによる会議や講義なども追い打ちとなって、外に自分を開かなくても自閉的状態のままで表層の仕事、付き合い、交流や交渉はできるようになりました。かつて、それぞれの場所、共同体で「座《ざ》」をもって対面し雑談しながらフォークロアを生み出していたような空気は社会から消えていき、消去されていきました。ITの使用が普及した社会は外に閉じた自己満足を促し、自分を拡大できるようなことなどに目を向ける力も関心も奪っていきます。そこに私には悲しいニュアンスを漂わせる言葉、ツイッター、つぶやきがクローズアップされてきました。一人自らと対話しながら自らを確認していくつぶやき、独り言はときに必要ですが、日常的な話柄を気が置けない少数の仲間とつぶやき合うのはあまりにもみじめな現象です。文学は多く日常些事のSNSとなっていき、美術表現も同様に独り善がりのつぶやきになり、自己本位、自己満足、自作自演が制作の基調になっていきます。IT時代、メディア情報社会、デジタル化は、本来は他との開かれた環境をつくり、そのなかでの表現など、メディアに乗ることをねらうだけでなく、積極的にチャレンジする表現者の出現を目途として開発されてきたものです。しかし、他へ呼びかけ、他と開かれた関係をつくろうとする環境は緊張を伴い、自己満足を許さないために、かつてのよき環境はしだいに遠のいていきました。

個々人がそれぞれの意思でつぶやき表現することは、他者の目や考えが介入することも少なく気楽です。仮に突出した固有の才能があれば、発表環境が保証されていて安泰です。昔なら、宮廷画家、肖像画家、御用絵師など、旧体制の芸術界に場を占めた連中です。そこではつくる者と観る者、楽しむ者が作品を介して互いに満足しあう自己満足が演じられていました。その安泰環境から外へ、枠外へ脱出し、旧アートに決別しようとするには、先にみたように大胆な社会批判、自己超越の試行が必要で、先駆者も少数でした。

しかし社会もアートも旧体制維持社会の爛熟や疲弊のなかで変質を徐々に示していきました。発言力をもつ市民が生まれ、文章も美術表現も特定個人や階層のためのものであってはならないとする意識、新しい常識が先進国のなかから台頭してきます。外に向かって、社会に、市民に「呼びかけ」、「伝え」、ともに「考える」ことを要求する社会と時代の到来です。印刷術の発明は個的な交歓だったものの公開になり、公開のため内容も変質を余儀なくされていきました。読書がみんなと共有しあう音読から個だけの黙読へと変わったように。美術界でも木版・銅版に続くリトグラフの発達は、辛気くさい銅版・木版をしのいで一気に大衆化され、絵入り新聞や雑誌に活用され、モードやファッションのイラストになり、時代の推進役になりつつある市民のための表現媒体として急成長していきました。リトグラフはいまでこそ版画の一技法という扱いですが、登場期から成長期はニュースジャーナリズム、ゴシップ誌などでは中心の担い手でした。自己満足の表現世界、特定の階層に奉仕するアート、パーソナル表現から、公的表現へ、外への呼びかけが表現の大きな動向になるにつれ、表現する者も表現を待つ者も表現対象の内容も変容していきます。特に表現対象は新興市民が期待すること、新しい情報、街のニュースや噂話、下世話やニューモードなどが、木版・銅版画に代わってリトグラフで刷られ、安直・安価で提供され迎えられていきます。

石版画はルネサンスのあと十九世紀末まで時代を演出する情報創出・伝達メディアの担い手でした。その早い例二つ。ウィリアム・ホガース、もう一人はフランシスコ・デ・ゴヤ。ホガースは銅版・石版を駆使してイギリスの政界、初期産業革命期の世相、社会事件、宗教界の腐敗などを痛烈な版画で批判し、新興市民にニュース、ノベラ（新しい噂話）の必要性、報道アートの痛快さを知らせました。

ゴヤはスペインの宮廷画家です。肖像画、宗教画、風俗画など宮廷向きの高貴な作風から残虐な戦争を告発する銅版による情報画まで視野は広く、宮廷に仕えながら、成長のきざしを示す市民に向けてニュース画によって呼びかけ、問いかけます。狭い旧秩序への奉仕と、開けゆく社会、新興市民層に向けてのメッセージと報道表現、ゴヤは報道芸術、印刷・複製による公共美術の重要性を自覚していて、黒い銅版画はヨーロッパの良心に広く知られていくことになりました。

産業革命は何をもたらしたか。ウィリアム・ホガース『ビール街』（1751年、フランス国立図書館蔵）
（出典：パリ国立図書館監修『世界版画大系』第5巻、筑摩書房、1973年、30ページ）

銅版、初期石版による報道アートは芸術の旧概念を乗り越えていく新興の方向でした。それと併行したのが十九世紀半ばから急成長していった写真でした。写真は人、街、社会などの変化と表情を的確にリアルに写し取れる技術として迎えられ、新興市民層がよりどころにする表現メディアになりました。その渦中にあって、リトグラフの力を十全に発揮しその終焉をみとったかの活躍をしたのがフランスのオノレ・ドーミエです。王政と共和政が拮抗する政情の混沌を痛烈に描く風刺画、貧しい市民生活の実情を描くリアリズム風俗画など、メッセージ性豊かな制作、市民のための情報提供など、外に向かって、公共のため、市民のために呼びかける作品は、かつての特権階級だけを相手にしていた制作とは質も目的も異にするもので、アート界の外への解放、そして芸術表現の公共力、社会性、メッセージ力を広く示すものになりました。以降、旧アート観が印刷や複製によって衰退し、芸術の古い枠や殻からまったく予期しなかった広域へ拡散し、多様な脱出が試みられていきます。アートの社会化・公共化です。ソーシャルアートの自覚的冒険と実践です。ランダムな例示ですが、第二次世界大戦後のドイツの代表的アーティスト、ゲルハルト・リヒター。平凡な通俗的な新聞や広告の写真をベースに、それを自分のドローイングや版による制作と刷り合わせ、コラージュし、コラボした、美術作品でありながら報道性とメッセージを込めた作品、彼の作品には、旧式芸術を否定し乗り越えていく新しい方向、通俗性を装いながらも厳正な姿勢を堅持する報道ファインアートとフォークアートの合奏、思想や批判性、風刺や風俗の重層的ミックス画など、その真骨頂で、芸術の伝統が生きています。外への呼びかけ、話しかけ、問いかけというフォークロア精神も確保して、停滞しているパーソナルアートを尻目に脱出の方向は開けていきます。開かれた報道芸術、メッセージを込めたルポルタージュアート、ともに考えるよう誘いかける挑発表現などが、十九世紀を頂点に時代相を映しながら現代まで、継承されていきます。

ルポルタージュアート、ドキュメンタリー絵画へ

報道性はやや乏しいながら、モノを提示して旧来の考えや表現から離脱をはかる試みもあります。旧アートからの脱出の試みは多岐にわたりますが、ここでは、思いつくままに数例を紹介します。印刷・複製技術を用いた根本的表現革新のほか、日常見慣れたモノを提示し、それを印刷情報メディアにのせて、いわば情報メディアの

戦争の悲惨を告訴するゴヤ。『戦争の惨禍69――無だ、いまに分かるだろう。』（1810－19年ごろ、フランス国立図書館蔵）
（出典：パリ国立図書館監修『世界版画大系』第7巻、筑摩書房、1973年、40ページ）

拡散力とニュース性を利用して、芸術のありようを問いかけるという大胆不敵な方法もあります。ポップアートです。日常通俗的なもの、美術の範疇には入らないモノ、それらをそっくり、あるいは拡大し集合させて提示して、接する者を唖然とさせる、そこに表現行為、パフォーマンスの真意を示そうという魂胆です。たとえば、マルセル・デュシャンの既製の便器を逆さに置いただけの『泉』（一九一七年）の発想、冒険、実践の継承です。旧アート観への嘲笑と破壊だけでなく、社会常識の逆なでによる世界の見方、考え方の変革、アート意識の革新です。日常的なモノと創作的なモノ、そのコラボとミックス化によって表現という行為、概念の解体を迫り、社会や世界の旧秩序を見直し、変革していこうとするパフォーミングアート運動で、表現の一つの正道でした。アメリカの日常や現実を提示し、それを根底から揶揄し脱構築しようとしたのです。これもまた自閉に陥ったアートからの脱出の試み、パーソナルアートからソーシャルアートへの流れを導くものでした。

モノによる表現のソーシャル化と並んで、読む絵画、考えようと呼びかける美術も伝統芸術からの脱出として多く試行されてきました。フォークロア、民俗的発想と方法による、フォークアートを併用した民衆への呼びかけです。メキシコの壁画運動の中心、リベラとシケイロスは大壁画を通して政治を批判し革新へと誘導していきました。これらは直接的に呼びかける芸術です。メキシ

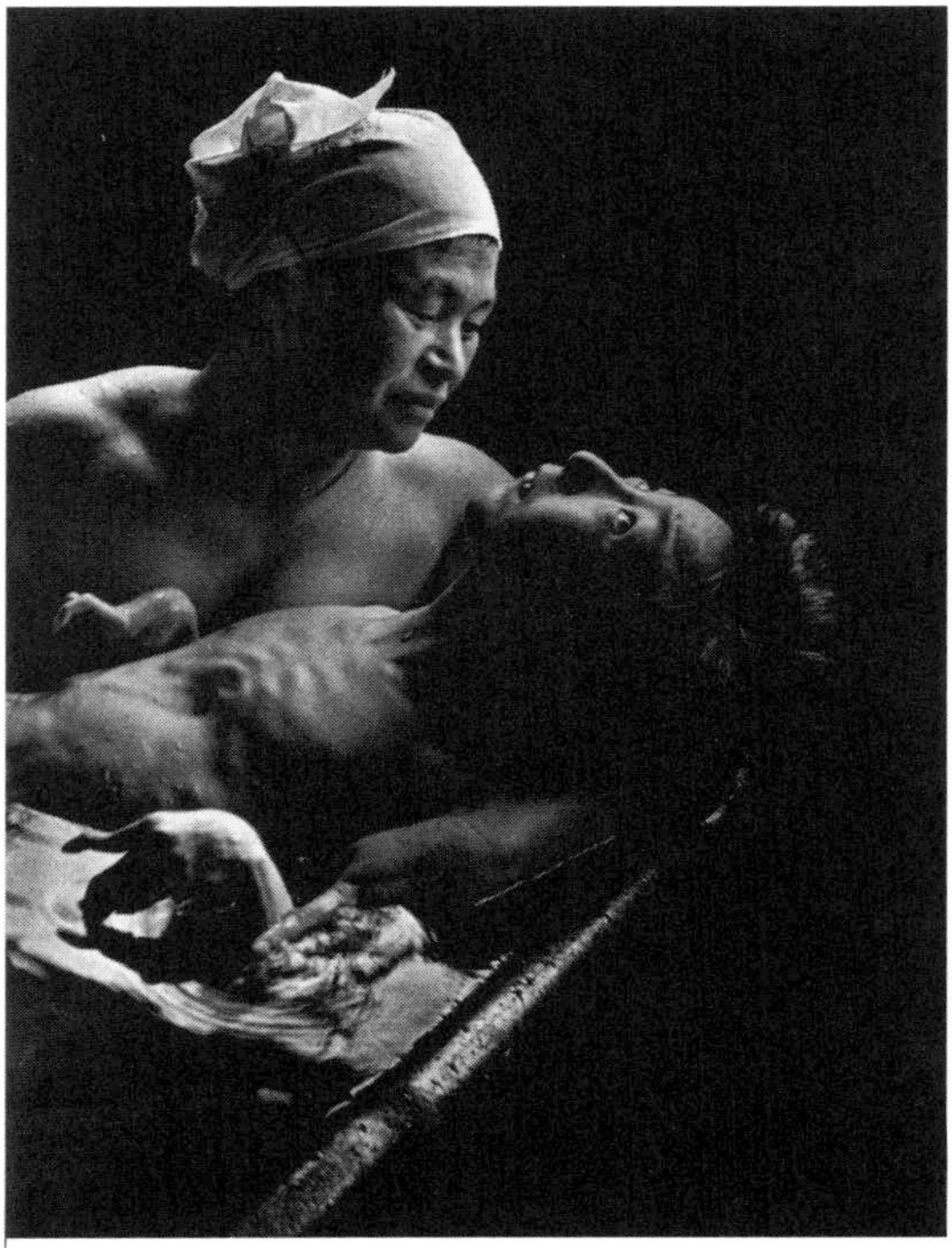

写真をともに考え社会に問いかけるドキュメンタリーフォト、フォトエッセーの試み。W・ユージン・スミス／アイリーン・M・スミス『写真集 水俣 新装版』（中尾ハジメ訳、三一書房、1991年）

コ社会に浸透していた、ともに楽しみ論じるフォークロア感覚がそれをもり立てました。日本でも岡本太郎や池田龍雄などにその志向がみられました。

直接に画面と向き合わせる報道性、ニュース性、呼びかけでなく、市民のなかにあって土地に足をつけた地道な制作も、フォークロアはフォークアートへ、フォークアートを内包するフォークロアの作品へと可能性をみせます。地域の子どもたちと共闘する北川民次、労働する人たちの暮らしを見つめ続けた山下菊二や、市民意識の刷新をももくろむ初期の河原温、ポスターや広告に新機軸を提案した山城隆一など、その一例です。

旧アートからの脱出試行のなかでも重要なのはルポルタージュ美術、ドキュメンタリー絵画です。絵画や写真、造形を通して政治や社会を風刺し、告発し、ともに考え、行動へと誘いかけます。ルポルタージュやドキュメンタリーは、文章表現以外では写真界が早くから積極的に取り組み、成果も顕著でした。写真がもつ記録力、報道力、実証力、客観性などによるものでしょう。戦時中、ドイツから帰国して日本に報道写真というジャンルを立ち上げ、軍部の協力もあって日本の宣伝に貢献したのが名取洋之助です。名取は戦後、戦時中の姿勢を修正するかのように社会主義に傾斜し、社会と人間の記録写真の確立と推進に努めます。そこで主張されたのが組み写真という方法でした。写真は一枚だけでは解釈が恣意的で多様になり、撮影者の真意は正確に伝わらない。表現者のねらいを誤解なく伝達し報道するために、写真を時間軸とかテーマ系列に沿って組み合わせ、伝えたい内容へと組み立てていく、それが組み写真で、レポート写真、ルポルタージュ写真などでは初歩の試みです。戦後の社会も人々も、正確な報道、偏向がないニュース、社会の実相告発などを真剣に求めていました。その風潮のなかに土門拳の「ヒロシマ」、奈良原一高の「人間の土地」、東松照明の「長崎」「沖縄」、川田喜久治の「地図」などすぐれたドキュメンタリーフォトの公表が続きます。中平卓馬や森山大道、北井一夫の反安保デモや反基地闘争の作品群もレポートであり、即物的ドキュメンタリーです。なかでも熊本県水俣で貧相な家を借りて生活しながら水俣病に苦しむ人々の実像を、病者や看護者と同じ思い、同じ立ち位置で撮影したユージン・スミスの「水俣」はドキュメンタリーフォトの圧巻です。水俣病闘争にも患者や支援者とともに参加し、会社の非道の暴力を受け、後遺症となる重傷を負ってもルポルタージュはずっと続けました。その表現スタイルの根底にはかつて「ライフ」誌で磨き上げたフォトエッセーの表現思想と方法が貫かれています。アメリカ最大の写真誌「ライフ」の看板連載がフォトエッセーで、世界の代表的写真家が順次、対象を温め、熟考し、描き、問いかける写真によるエッセーで、スミスは「スペインの休日」なども発表していました。フォトエッセーは写真を撮り見るだけでなく、撮る者・見る者がともに語り考えるよう誘いかけ、報道性、公共性、記録性を保ちながら思想性、問い／問われるという対話性をもつのが魅力です。読み、考え、対話へと誘うことは表現者の心底から願うことです。ドキュメンタリー写真もルポルタージュ写真も読み考えるエッセーの要素を確保して自立できたのです。対話ができる写真から自覚的市民による現代の物語、フォークロアも生成してきます。エッセーもフォークロアも対話と思考の源泉です。

日本でもフォトエッセーの実験・実践がありました。インドを放浪しインドの現実を肌ざわりさえ写し取るかのようなタッチで表現したドキュメンタリー写真家・藤原新也は、メッセージ性、思索性、告発挑発性など多様な面を駆使してフォトエッセーを独自に描き上げました。チベットへ、日本へ、東京へと漂流しながらエッセーと思索で撮影は続けられていきました。

十九世紀後半からは絵入り新聞などにも読む絵画、写真が登場し、見る者にも問い考えさせる空気を伝え、報道力や記録力ある表現を促進しました。社会や市民へのメッセージはソーシャル表現に不可欠で、一般メディアでの表現、ルポルタージュもドキュメンタリーも、旧式の個を表出するパーソナル表現から脱却するうえで効果的で、しかも責任を伴う行為でした。そして社会的メッセージ表現の有力な方法の一つがセンスとスタンスを問われる落書《らくが》き（落書《らくしょ》）でした。それが深刻な問題を近づきやすくし、その内容を問い／問われやすくし、市民レベルの公共性、客観性を保証してくれました。落書はソーシャル表現を楽しむ絶妙の隠し味でした。ホガースやゴヤ、ドーミエなどには筋の通った落書精神がありましたが、パーソナル表現になじんでしまった心身には厳正にして悠然とした姿勢は無理とあって、現在の安定社会ではより必要なのにもかかわらず、批判性と風刺力ある落書が不発になってしまったのが現状です。かろうじて反保守的メディアの政治マンガにその余映が読み取れる

日常のなかのドキュメンタリーフォト。藤原新也『印度放浪』（朝日新聞社、1972年）

ばかりです。隠し味の深みをもって問いかけ呼びかけてこそソーシャル表現は力を発揮するはずです。落書精神という「あそびごころ」が表現の公共性・社会性をより強化してくれました。自己満足のパーソナル表現にしがみつかず、悠然と外に開いてソーシャル表現に向かわせるのもあそびごころであり、開かれた知であり、ともにわいわいがやがや話し合う集合知・協働知です。穏健なあそびごころから激烈な風刺アートが生まれ、また硬軟こもごもの娯楽アートも育つはずです。あそびごころはパーソナル表現の矯正にも有効で、みんなと交わす討論が現代の「座」になってフォークロアをつくり、それに誘発されてフォークアートの新生を促します。あそびごころの交歓はフォークロア、フォークアートのプロモーターであり、ディレクターです。さあ、それぞれあそびごころをもって、社会に向き合い、外に向かって問いかけ呼びかけ語りかけようではありませんか。よく練られたソーシャル表現が楽しいフォークロアの場を盛り上げ活気づけるでしょう。ポップアートなどモノによる風刺を超えた、土地や人々の思いをのみ込みそれらと協働するフォークロアの再生、そして現代版フォークアートの新生です。

パーソナルアートを超えていく力

個人尊重の考え方、個性こそその人たらしめるものと長く考えられてきました。古く産業革命期のイギリス、革命へと模索し論議していくフランスなど、市民的・ブルジョワジー的社会や文化を促進していったのは新興市民層でした。王侯貴族や宗教者だけが政治や社会を担うのではないとして、それらの権力権威を否定し、時代の主役として自らを立て、市民の人権を尊重する宣言です。以後、個人主義は近代社会・近代国家の根幹理念とされ、個人の集合・連帯による政治体制を共和政や民主政としてたたえ、維持促進に努めてきました。個人は社会や国の単なる一要素でなく、社会や国をも思想や態度で変える力をもつものとされ、過大の信頼を寄せられる存在でした。個人はそれぞれ固有のメンタリティー＝個性をもつオリジナル存在とされて、個性は表現世界でも最重要視されてきました。一市民として社会内に生きることは、また自らを表現し、自らの個性を外に、社会に、公開することとされ、互いに個性を表現しあっては話し合い、社会を活気づけ動かしてきました。

個性尊重はアメリカの独立やフランス革命の成功のあと、ますます拡大し増幅していきました。そして表現世界でいえば、二十世紀前半の個性比べ、発想比べ、技法の競い合いなど、狂騒期ともいえる時代を経て、拝金思想ともいえる資本主義が世界を覆うに至って徐々に沈静化していきました。個性よりも、圧倒的な公共性、普遍性、実利性、即効性、合理性をもつお金＝資本の前に、個々のスタンドプレーは現実に実力を示すこともできず、個性よりも自分を保守するパーソナル志向社会へと堕落していきました。個性にかわりパーソナルが前面に出てきます。メンタリティーを必ずしも伴わない個々一人ひとりという気楽さ、わがまま、無責任、自己放棄など、自覚もなく生きる時代の到来です。資本という無機物による人間改造、私というものについての変革が先進国から蔓延していきます。なかでも日本は個性喪失も早く、パーソナル社会の先例になっていきます。アートの主流も、パーソナル社会とパーソナル表現が行き着くところ、資本が取り仕切っているコマーシャルアートの全盛となってきました。

この閉塞的なパーソナル社会、パーソナル表現を超えていく力はどこにあるか。一人ひとりを重視してきた結果、一人ひとりが自分を投げ出し資本になじんでしまったからには、ものの見方、生のスタンスを変えることにしか脱出口はないでしょう。マスメディアや商業主義に迎合して個性をなくしていく時代、個性が凡庸、平均的になれば、あとは個性に頼らない表現です。個をかろうじて保ちながら社会のなか、公のなかに参入し、みんなと同じるのではなく、連帯しながら、異なりながら、つながり理解しあう集合体をつくること、そしてその集合体を一つの主体として共同で育んだ主観を育てていくことです。衰退していく個の主観から共同主観への転換です。個の痩せた知や自衛的な知から、連帯する集合知・協働知へのものの見方、生のスタンスの転位です。人間は本来、社会内にあって互いに関係する存在、すなわち、社会内関係的存在です。一人劇団・一人芝居から、連帯して演じる社会劇、ソシオドラマが表現の舞台になっていくのです。呼びかけとしての表現、ともに考えようとするアート、個から開かれたソーシャル表現へ、アートの本道への帰還です。

マスメディア社会、情報社会では、ユニークな個はつくられた物、見せかけの作為物です。社会や現実が個の力で動くことはまれで、古い「座」に通じる集合知・協働知、いわばフォーク知が社会的表現の原動力です。個に執着せず社会に向けて開くのが基本の社会マナー、フォークスタイルになっていくでしょう。

フォーク知をベースに表現しようとするとき、かつて表現世界を先導し、アートの華だった前衛、アヴァンギャルドはどうなるか。集合知を主体とするとき、何をもって前衛表現とするか。アヴァンギャルド運動にはまず現状への、また表現への的確な気づきがあり、それに基づく観察・思索があり、次いで着想から冒険へ、実験へと展開する道筋があります。地道な例を一つあげるなら、いま国際的運動として、ＳＤＧｓという試みが進行中です。学校教育の場でも取り組みが求められるようになり小・中・高での実践が報告されています。温暖化問題、大気・海洋汚染、貧困と格差、食糧難、難民、資源問題など、先進国・後進国の連携でしか改革の道が見いだせない課題ばかりです（原発、核兵器問題が落ちていますが）。国の大小を超えて、弱者は弱者の立場をふまえて、平等の立場で連帯するしか、差別を超えた解決策は見いだせません。国の利害を超え、他と協調し、地球規模で見、考え、提案するグローバルな動きです。その国際討議の前面に中心課題の一つとして提示されたのが連帯知、協働知の必然性でした。しかも国同士のヨコの連帯だけでなく、世代を超えてのタテの協働です。ＳＤＧｓは連帯知・協働知の討議に基づく社会の改革デザインです。私たちのアートも表現も、ＳＤＧｓ同様、社会へのメッセージ、あるべきデザイン提示など、外に向けて開き話し合い練り上げていく作業です。そこにパーソナル表現とは一線を画す表現、地味ながら現在に適応する前衛表現が出現してくるでしょう。個を脱出して、社会へ、国際社会へ、グローバル関係へと、ヨコ・タテにつながる連帯が、かつてなかったフロント表現として出現し表現界をリードしていくことでしょう。連携するグローバリズムに立脚するグローバルアート出現への期待もあります。

パーソナル社会ではグローバリズムは必ずしも歓迎されてはいませんでした。しかし今後は、ＳＤＧｓの試行

フォークダンスの原点は祈願とあそびごころ。『念仏踊図』（1776年、上田市常楽寺蔵）
（出典：国史大辞典編集委員会編『国史大辞典』第13巻、吉川弘文館、1992年、「民俗芸能」図9）

に見えてくるように、連携協働を継続することで現在から未来への前衛行為になる可能性もあります。しかも、自覚したグローバル表現、グローバルアートはもう一つの流れを誘い出します。ローカル表現、ローカルアートの再生や新生です。グローバル表現とローカル表現は互いに主流となり傍流となり、立場を交錯させながら展開していきます。グローバル表現の土台にはそれぞれが所属する国や社会があり、その国や地域が協働の場に参加することでグローバル社会の一員であることを保証されます。ローカル表現のベースには集合知・協働知を大事にするフォークロア、フォークアートがありました。グローバル表現の正道を促進するとき、ローカル表現は国際パスポートと見なされ、そこには場所を保証するフォークロアというポートレートが付されています。

パーソナルから脱却してソーシャルへ、グローバルへ、併行してローカルへ、表現ごとに冒険し、実験し、試作をおこなっていけば、それ自体が時代のアヴァンギャルドとなって、アート界をはじめ、多彩な表現世界を牽引していくことでしょう。その陰の力が集合知・協働知・共同主観であり、それを培ったフォークロア、フォークアートだったのです。フォークロアもフォークアートもソーシャル化とグローバル化に伴って表情を変えテーマも変わっていきます。将来は、グローバルなフォークロアが、国際協働体制から協働連帯体制そのものの表現として生まれてくるでしょう。さらにソーシャルアート、グローバルアート、ローカルアートへと連携プレーをそのかすのが新生フォークロア、フォークアートです。フォークという考えは古風に見えますが、フォークは陰に陽につねに時代と社会の土台であり、ときにはフロント・前衛になってきました。人間が社会内関係的存在であることを自覚すれば、フォーク力という連帯する協働知は絶対必要条件で、今後もそうでありつづけるでしょう。

現代社会は、人間も含めて不確定な液状化状態にあります。表現も同様です。パーソナルにいろいろなことが試みられ、それらが混じって液状化を呈し、社会や時代と向き合う力も姿勢も劣化していきました。実体が見えない／見ようとしない表現空間は、浮遊するイメージの空間、バーチャル空間としかとらえられず、実体離れが生存様態です。実像から虚像へ、実体から虚体へ、見える作品から見えない作品へ、見・読み・考える表現から見・感じ・おもしろがる表現へ、ヘビーからライトな表現へと、表現世界も社会も文化も風俗もライトへと変成されていきます。ライト志向は気楽にパーソナルに生きる日常知になったのです。表現世界だけでなく社会、文化、風俗などあらゆる面でのライト化をくいとめる力は何か。個離れし、独り立ちして社会内へ参入し、ともに呼びかけ、表現しあうところに、連帯集合知による物語、場所に根ざした民俗スタイルが生成され、新版フォークロアが成長していきます。ソーシャル、グローバル、ローカルの目をもった表現者が、民俗に立脚しながらフォークアートをつくりだすことでしょう。ソーシャルとグローバルとローカル、これら三つの目と心は、これらの外に開かれた表現に必須の条件であり、スタイルとなります。表現という行為は、つねにフロントを切り開く使命をもっています。その要素を、心に、身体に、スタイルに体得したものが、前衛としてのフォークロア、フォークアートを発見し創造していくことでしょう。

さあ、パーソナルな自分を脱し、外に開き、歴史に聞き、冒険や実験に挑みましょう。社会内関係的存在である人間と、自分の表現を、フォークロアは支え、また社会を、関係を、清新な空気で生気づけていくことでしょう。

［ワークショップ課題］

①ポップアートを超え、「モノ」から「脱モノ」へ、庶民の声を映すバーチャルリアリティー絵画を創造しよう。

②ドキュメンタリー絵画が求められている。社会や現実の問題点を絵画・壁画化し、外へ問いかけよう。

③個を超え、仲間や他分野と協働し、メディアミックスのフォークアート・パフォーマンスを実験してみよう。

実験工房《ワークショップ》の試み

第１部　フォークアートの思索・実践への誘い

［各ワークショップを WS と略記］

松野愛美莉「無題」ペン、水彩、石　第3章 WS ③

石川珠衣「25:50」鉛筆　第1章 WS ②

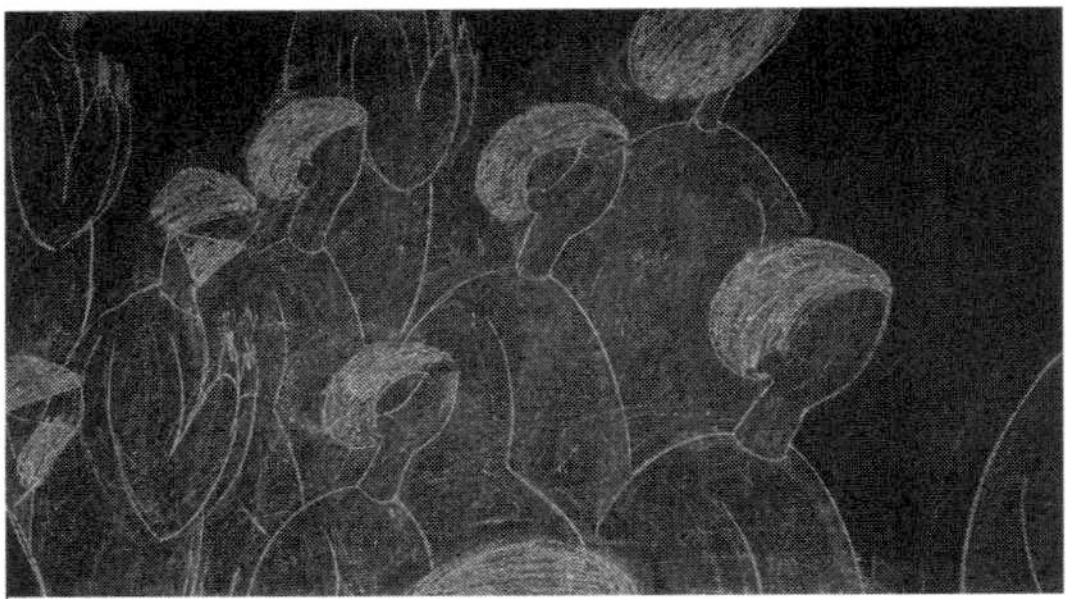

菊池史子「 know where you are right now.」（ 部分 ）ストップモーション　第1章 WS ③

大久保灯「奇」墨、鉛筆、クレヨン　第2章 WS ①

永田士朗「黒き者2」ペン　第2章 WS ①

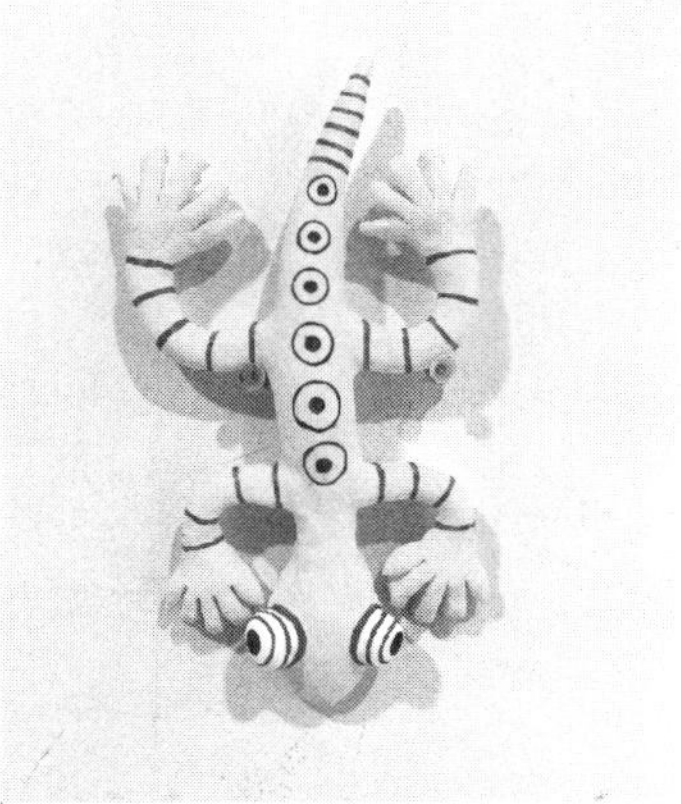

山﨑りん「無題」 紙粘土、絵具
第2章 WS ②

関貴子「無感覚な変化」布、インク
第2章 WS ③

天野由結／カクシュンゴウ／亀浜美優／鴨嶋優樹／工藤優真／齊藤詩織／冨倉みのり／西山佳凜／羽ヶ﨑香穂／長谷川未紅「太陽－Ⅰ」
第3章 WS ②

大久保灯／河村乙／松野愛美莉／鎗田えみ／四本紗桜里「太陽－Ⅱ」
第3章 WS ②

稲田怜将／保坂裕希／堀江陽香／正木雄悟「太陽－Ⅲ」第3章 WS ②

カクシュンゴウ「涼しい森」クレヨン
第3章 WS ②

山﨑りん「無題」水彩　第3章 WS ②

亀浜美優「源」紙、クレヨン　第3章 WS ②

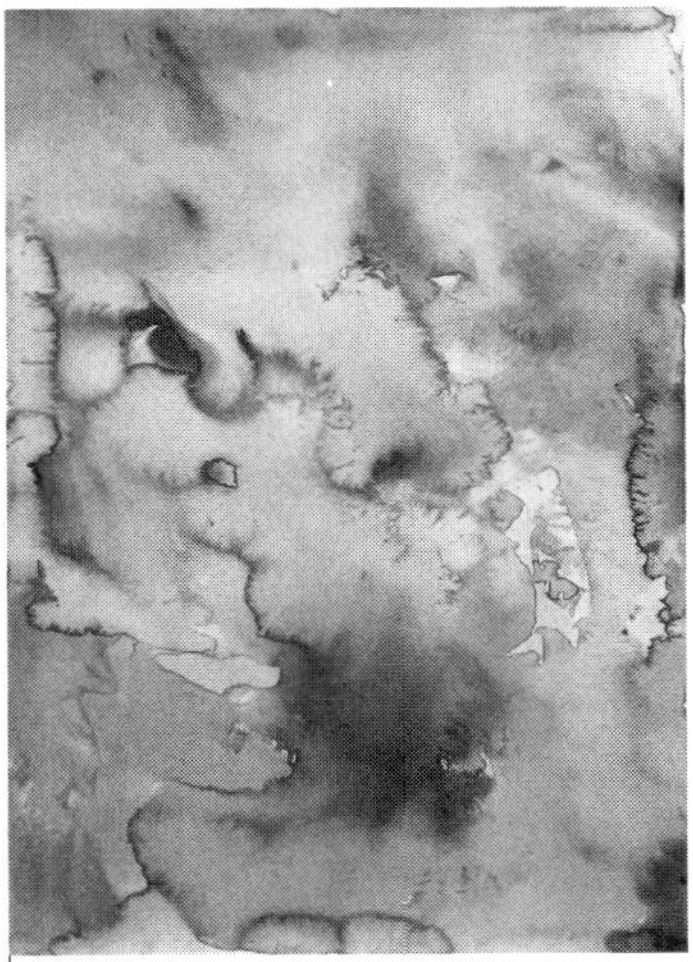

羽ヶ﨑香穂「蠢き」水彩　第3章 WS ②

冨倉みのり「無題」アクリル　第3章 WS ②

西山佳凜「瞼に差し込む」アクリル、ジェッソ
第3章 WS ②

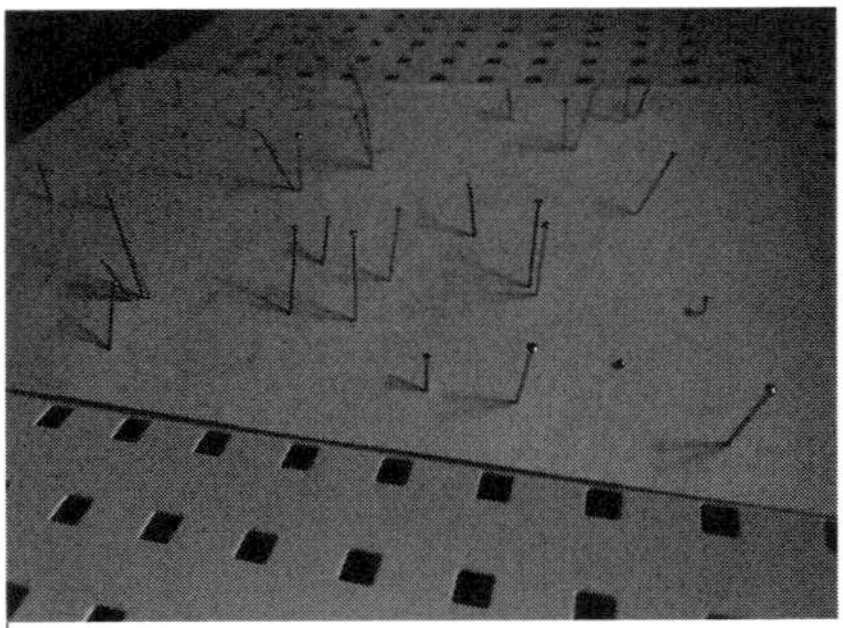

松野愛美莉「陽の刺激」紙、虫ピン　第3章 WS ②

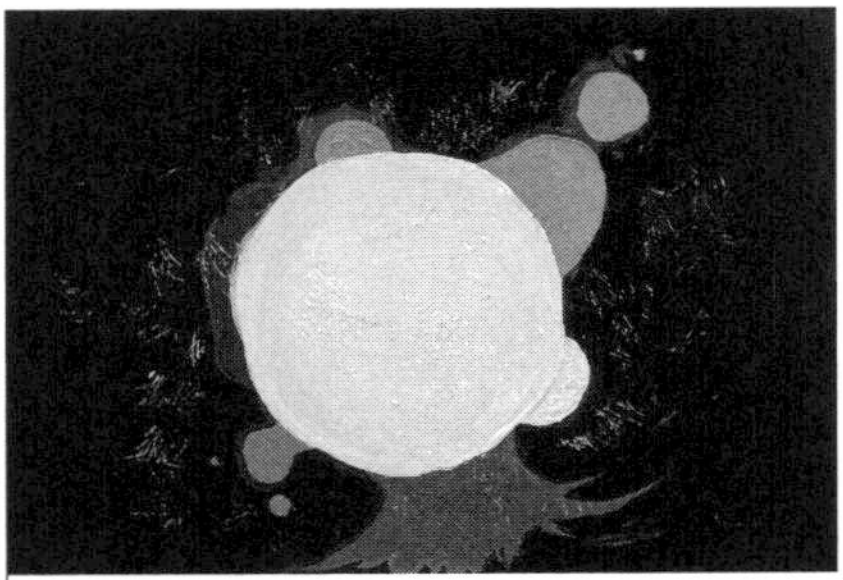

齊藤詩織「光」アクリル　第3章 WS ②

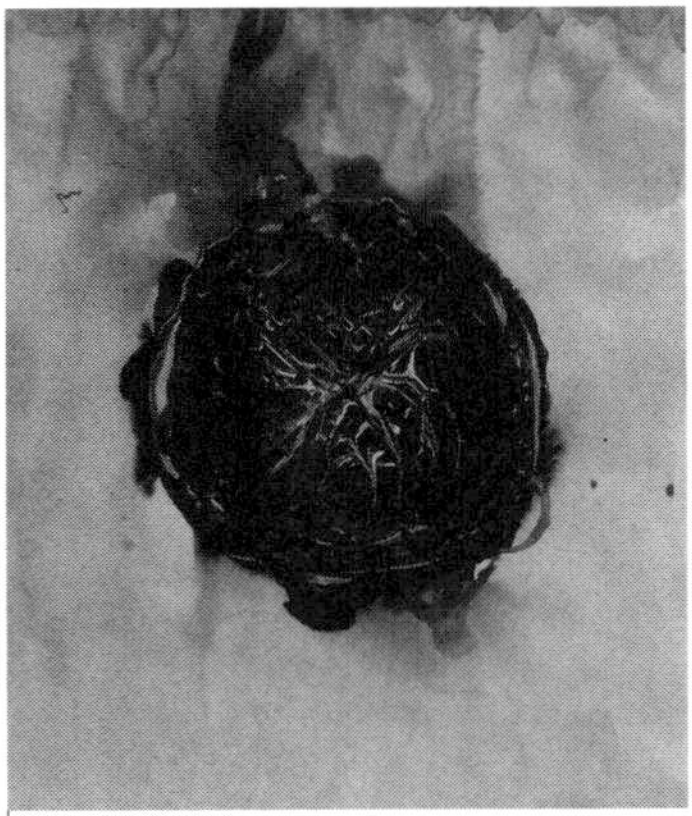

青島夏希「太陽」アクリル
第3章 WS ②

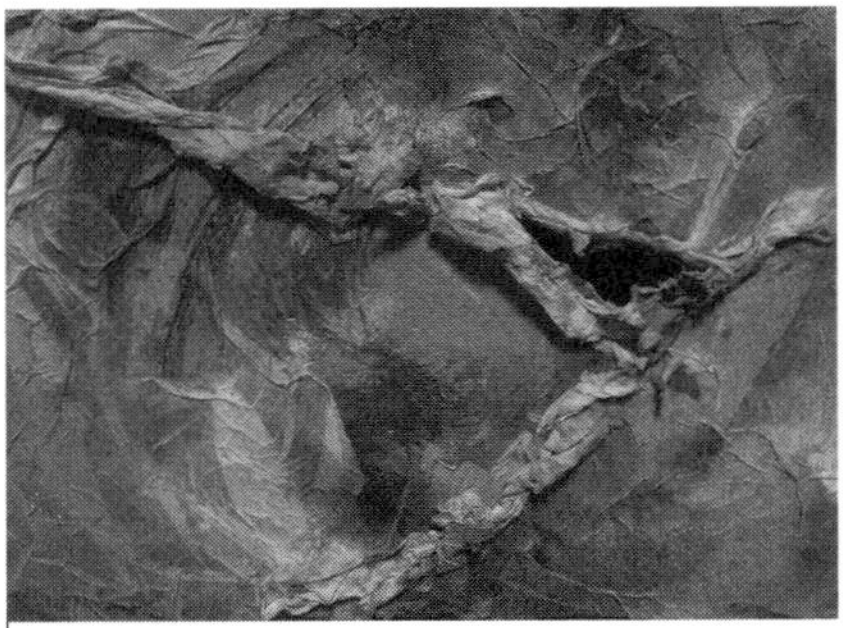

大久保灯「42trillion」紙、絵具　第3章 WS ②

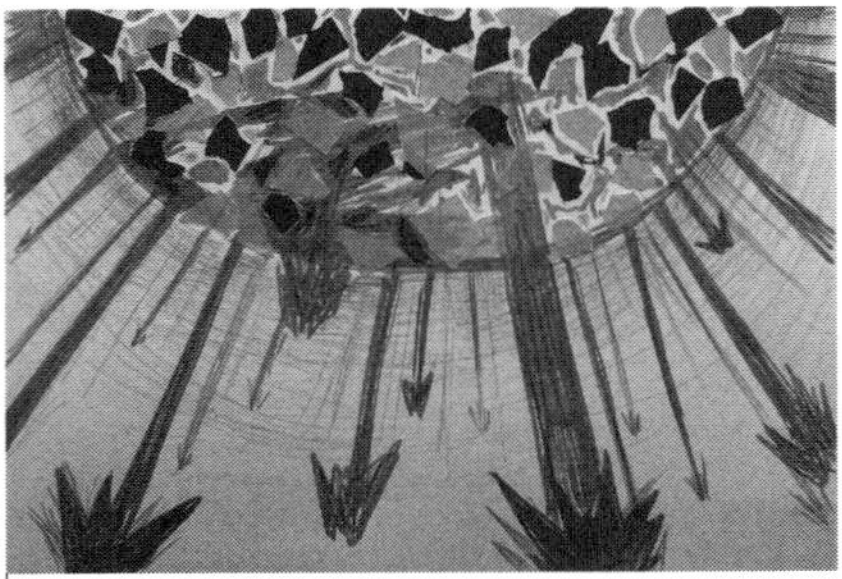

長谷川未紅「放射」ペン、折り紙　第3章 WS ②

キムサラ「この世の中」コラージュ　第3章 WS ③

四本紗桜里「かえるか」ペン、色鉛筆
第4章 WS ②

菊池史子「motion in silence」（部分）
4チャンネルビデオインスタレーション　第4章 WS ③

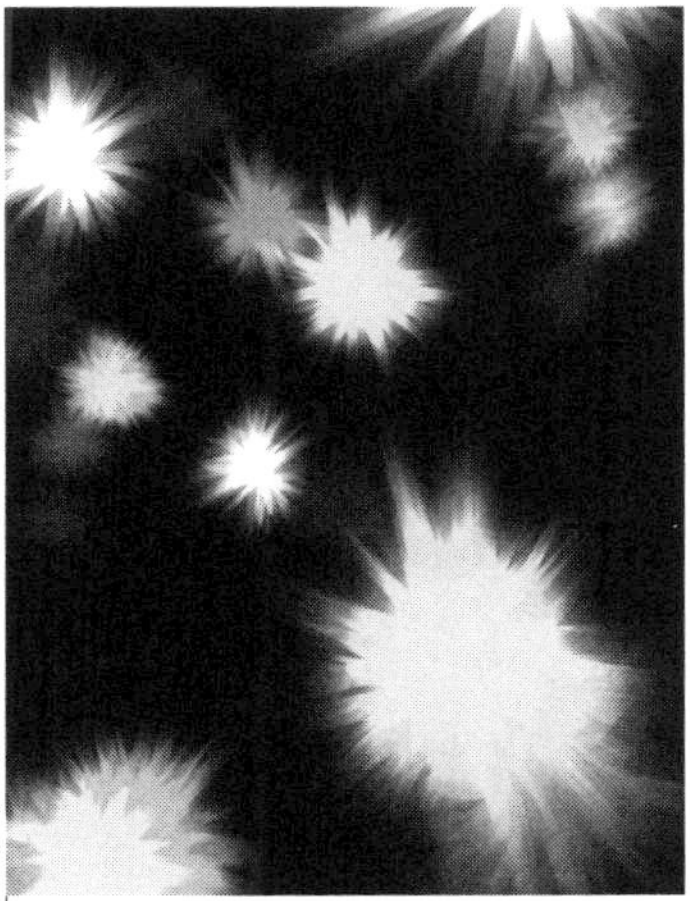

堀江陽香「目の裏に映る太陽」デジタル　第3章 WS ②

菊池史子「motion in silence」（部分）4チャンネルビデオインスタレーション　第4章 WS ③

四本紗桜里「繰り返して巡って」 サイアノタイプ
第4章 WS ③

キムサラ「人間をボイコットする」
紙、ペン　第4章 WS ③

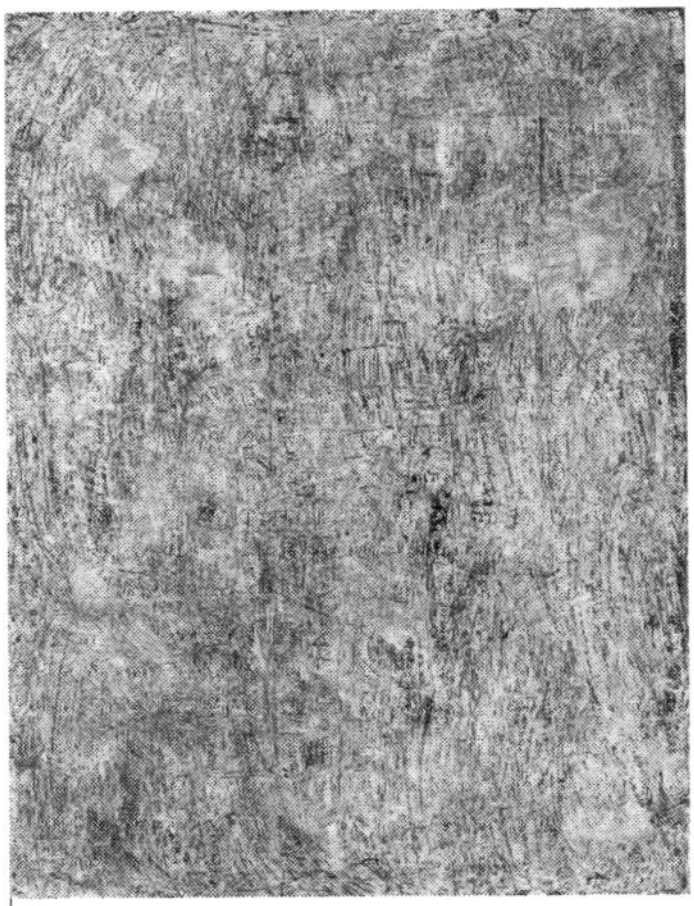

正木雄悟「埋め込まれた記憶」 カンバス、油彩　第4章 WS ③

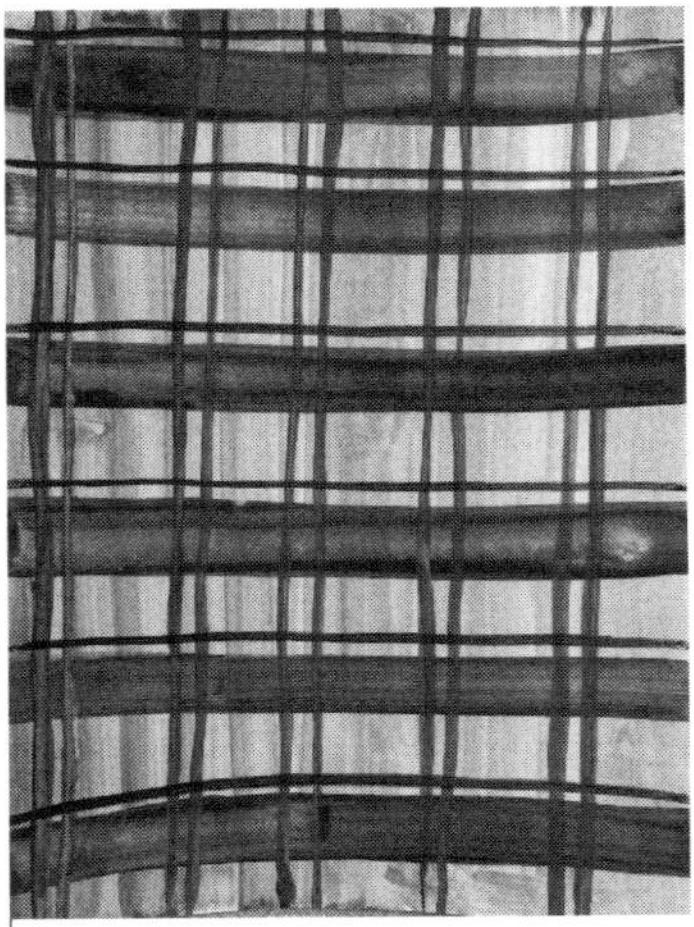

柳澤彩葉「無題」 水彩　第5章 WS ①

山﨑りん「無題」 アクリル、紙
第6章 WS ①

キムサラ「無題」 デジタル 第5章 WS ③

山﨑りん「無題」 アクリル、紙
第6章 WS ①

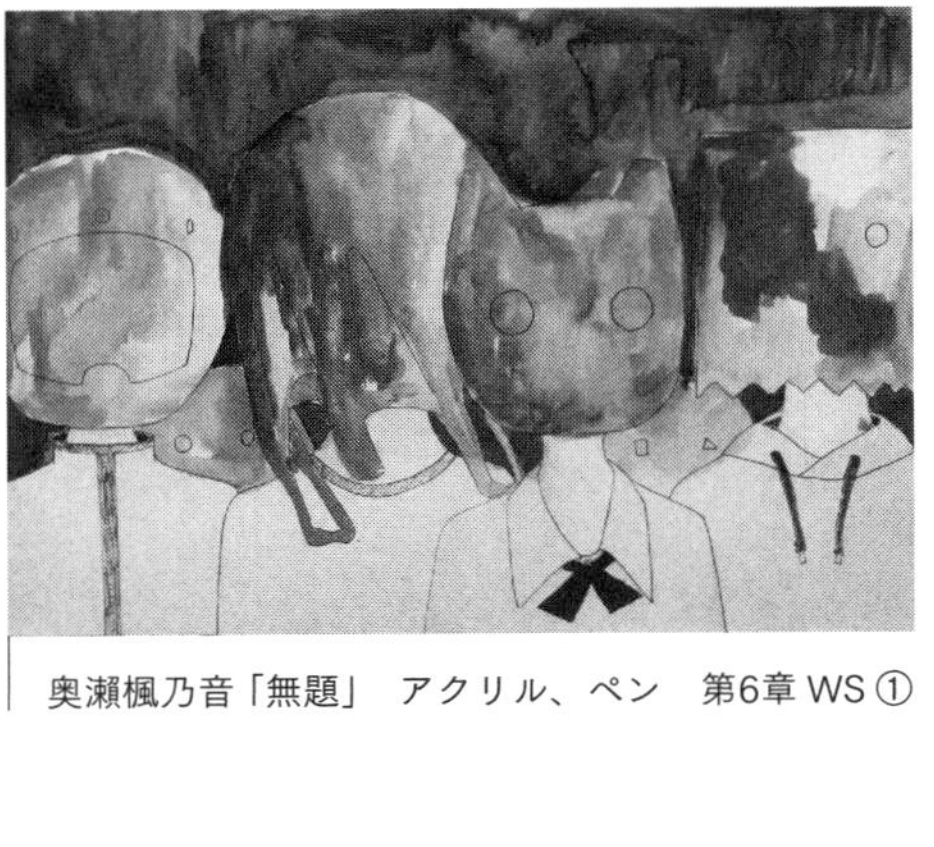

奥瀬楓乃音「無題」 アクリル、ペン 第6章 WS ①

大久保灯「装う」　アクリル、クレヨン
第6章 WS ①

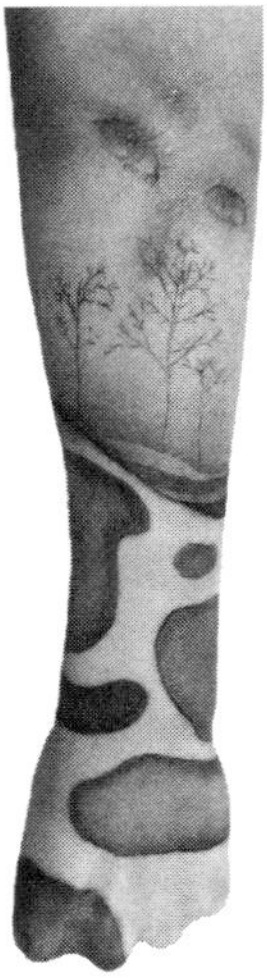

松野愛美莉「題名が見えない自然」　化粧品　第6章 WS ①

日比野絵美「no title」　カンバス、アクリル
第5章 WS ②

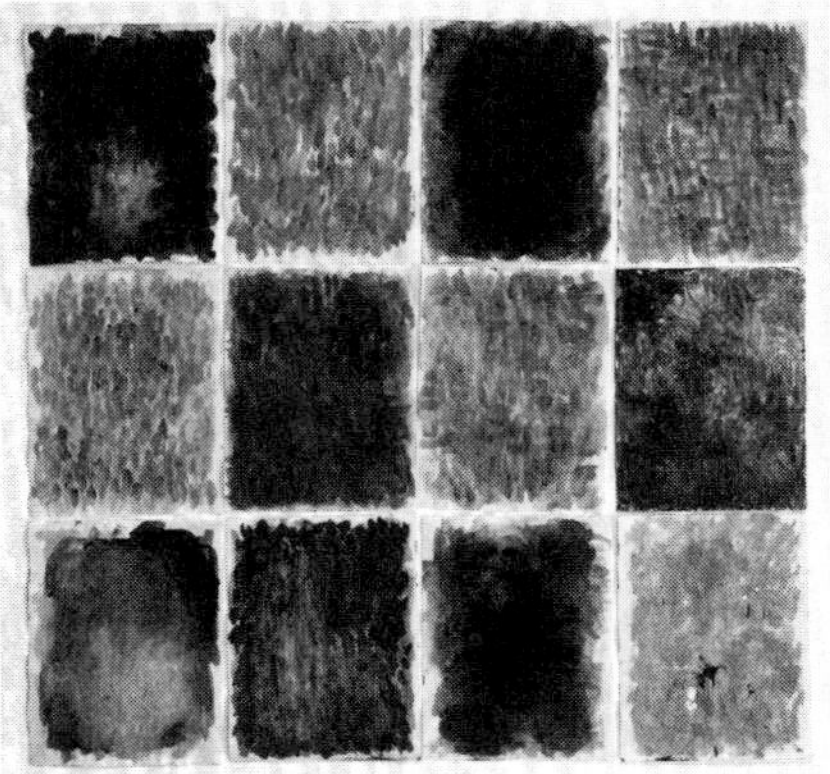

日比野絵美「no title」　紙、水彩
第5章 WS ①

第2部　フォークアートの実践フィールドへ

石塚万里奈「無題」 布、スパンコール、ビーズジェッソ、絵具　第7章 WS ①

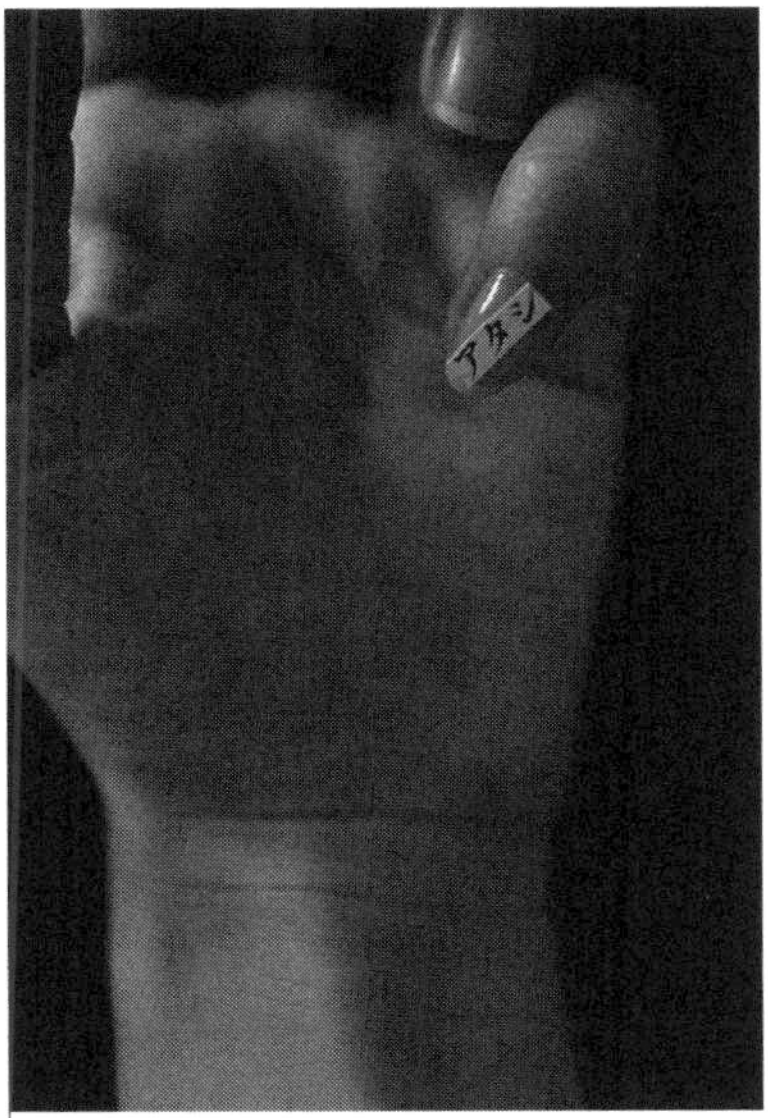

青柳有華「アタシ」デジタル
第10章 WS ①

東尾文華「天神祭ギャル神輿」 団扇、デジタル、シール　第7章 WS ①

青柳有華「○神社、▽並木」 団扇、アクリル、和紙　第7章 WS ①

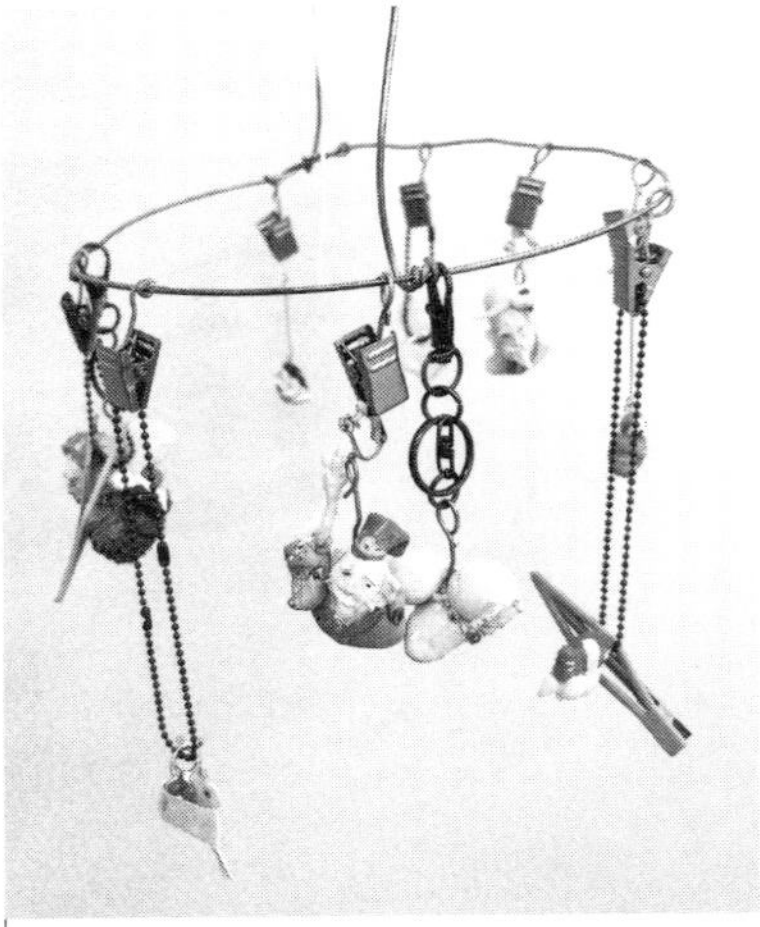

東尾文華「ふくふくめりーごーらんど」
アクリル、おみくじ、紙、紙粘土、針金
第8章 WS ①

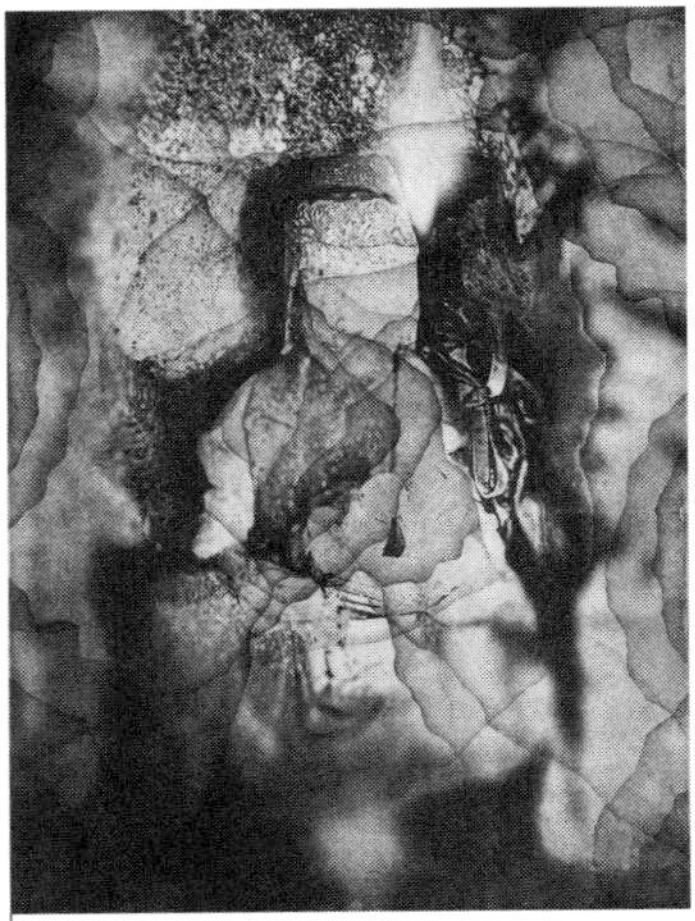

関貴子「implication III」 リトグラフ
第8章 WS ②

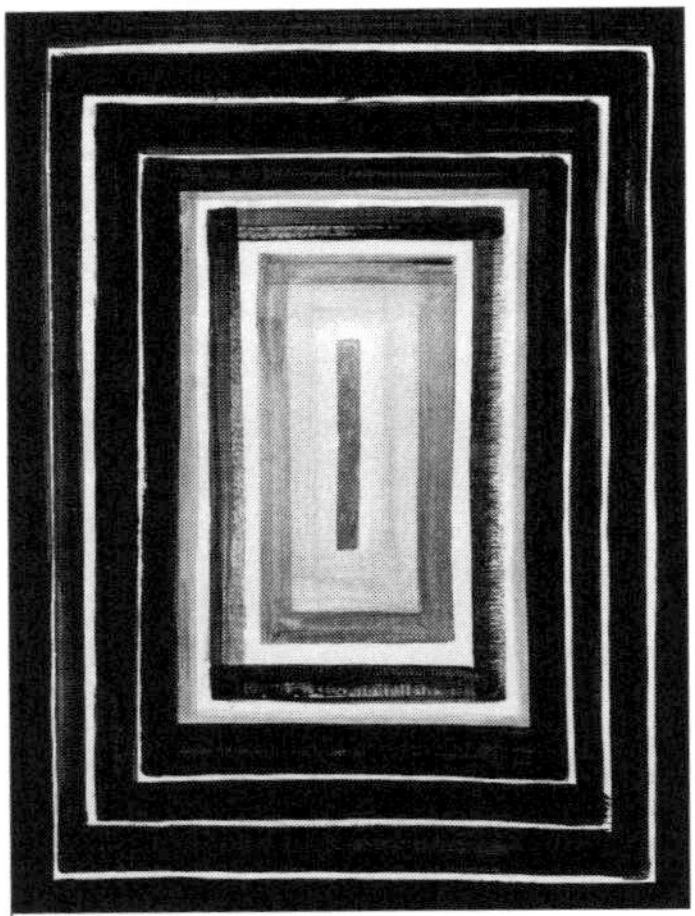

青柳有華「助守」 アクリル
第8章 WS ①

石川珠衣「しで」 アクリル、半紙、ロープ、粘土　第8章 WS ①

松野愛美莉「おみくじイヤリング」
おみくじ、ビーズ、金属
第8章 WS ①

正木雄悟「人生双六」 プラスチックキャップ　第9章 WS ①

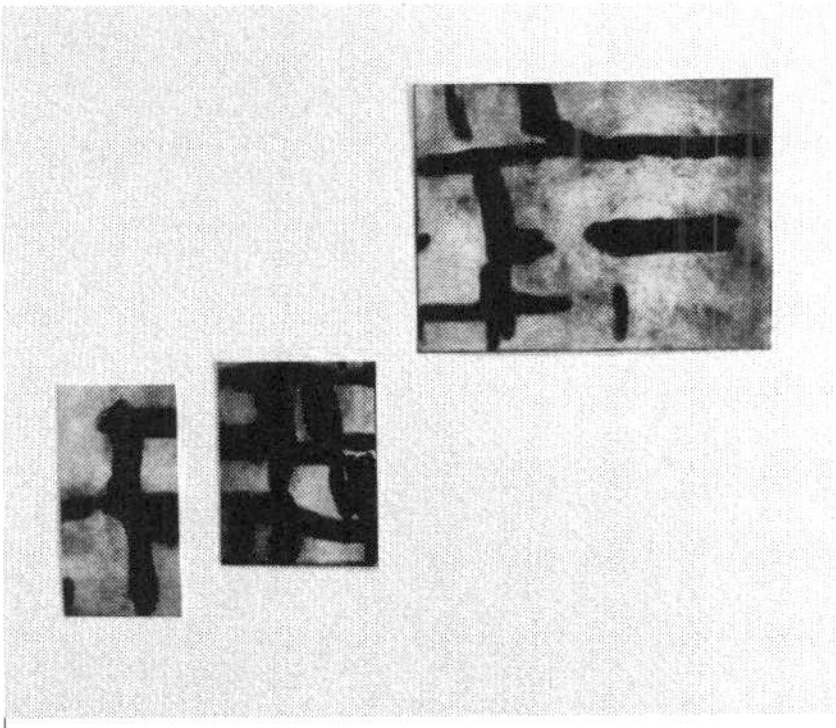

日比野絵美「no title」 銅版画　カーボランダム　第9章 WS ③

東尾文華「ミレーのオフィーリアと折に触れ」デジタル　第9章 WS ③

石川珠衣「学童戯画」 ペン、水彩　第9章 WS ③

2・3年共同制作 つなぎ、アクリル　第10章 WS ①

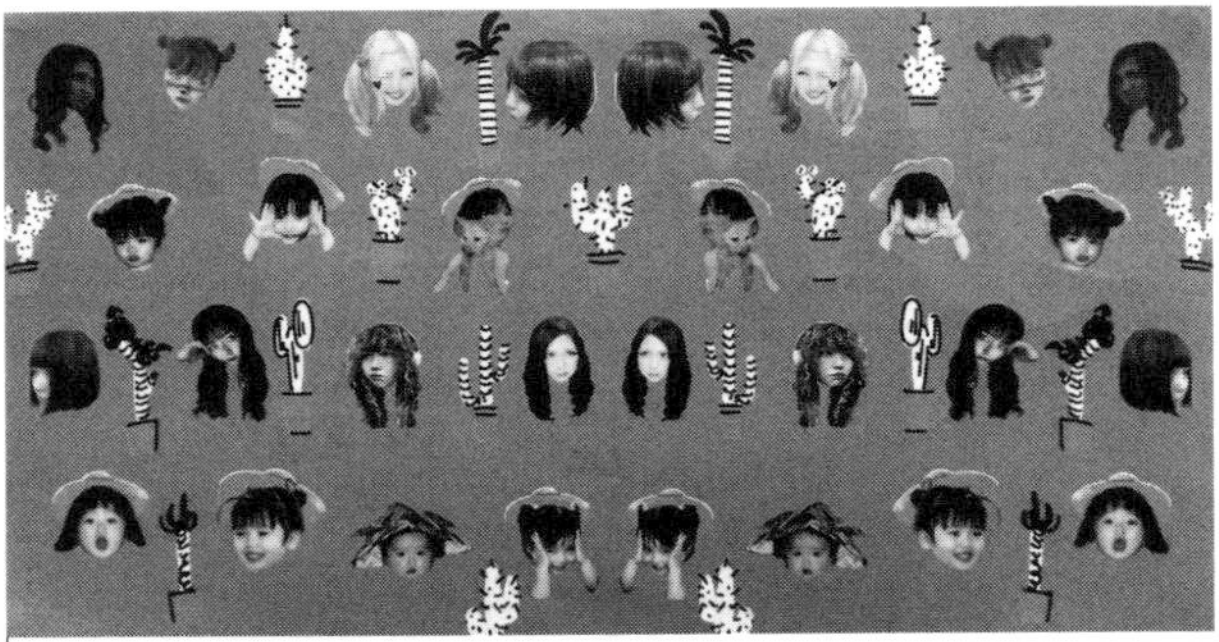

東尾文華「自己研磨曼荼羅」 デジタル　第10章 WS ①

河村乙「どこまでもいこう」　ペン　第11章 WS ①

羽ヶ﨑香穂「潜む色」　写真、水彩、カラーインク　第11章 WS ①

鴨嶋優樹「空中市街地」　ペン　第11章 WS ①

亀浜美優「上空からの眺め」　ペン　第11章 WS ①

正木雄悟「里山」　墨　第11章 WS ①

東尾文華「五分五分」 デジタル
第11章 WS ①

長谷川未紅「夢と現実」 新聞紙、水彩、ペン 第11章 WS ①

冨倉みのり「「どうかこの事は内密に。」」 アクリル、ペン
第11章 WS ①

松野愛美莉「食の矛盾」 ペン、新聞紙、オーロラフィルム　第11章 WS ①

堀江陽香「内と外・目に見えるものが全てじゃない」 鉛筆、ペン　第11章 WS ①

菊池史子「Me I See in You」（部分） ストップモーション　第11章 WS ③

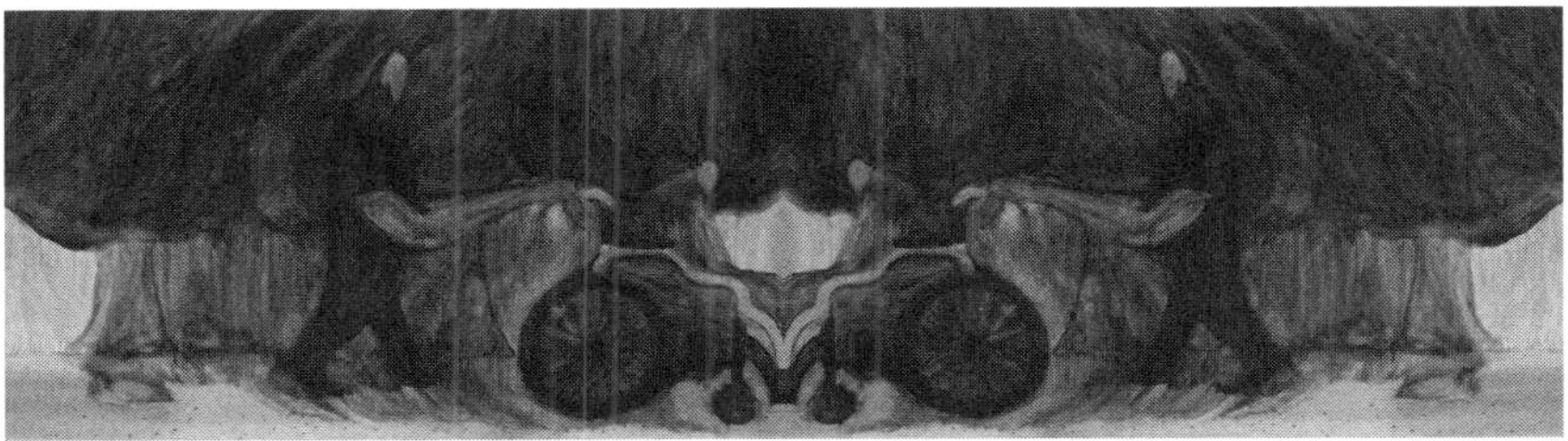

菊池史子「Me I See in You」（部分） ストップモーション　第11章 WS ③

木村瞳「無題」 布、糸　第12章 WS ②

東尾文華「Fantasy」 アクリル、植物
第12章 WS ②

青柳有華「いのちめぐる」 アクリル、ペン、インク　第12章 WS ②

参考文献（著編者名の五十音順）

赤瀬川原平『いまやアクションあるのみ！――〈読売アンデパンダン〉という現象』（水星文庫）、筑摩書房、一九八五年
赤瀬川原平／藤森照信／南伸坊編『路上観察学入門』筑摩書房、一九八六年
赤瀬川原平『超芸術トマソン』（ちくま文庫）、筑摩書房、一九八七年
赤瀬川原平『四角形の歴史』毎日新聞社、二〇〇六年
秋元雄史『日本列島「現代アート」を旅する』（小学館新書）、小学館、二〇一五年
芦原義信『街並みの美学』（同時代ライブラリー）、岩波書店、一九九〇年
阿刀田高『ことば遊びの楽しみ』（岩波新書）、岩波書店、二〇〇六年
伊藤俊治『〈写真と絵画〉のアルケオロジー――遠近法・リアリズム・記憶の変容』（白水社アートコレクション）、白水社、一九八七年
井上頼寿『京都民俗志』（東洋文庫）、平凡社、一九六八年
エリアーデ、ミルチア『オカルティズム・魔術・文化流行』楠正弘／池上良正訳、未来社、一九七八年
大倉集古館制作、平良美恵子監修『芭蕉布――人間国宝・平良敏子と喜如嘉の手仕事』（平良敏子展カタログ）、オフィスイーヨー、二〇二二年
大田才次郎編、瀬田貞二解説『日本児童遊戯集』（東洋文庫）、平凡社、一九六八年
岡本太郎『忘れられた日本――沖縄文化論』中央公論社、一九六一年
岡本太郎『日本の伝統』（知恵の森文庫）、光文社、二〇〇五年
岡本敏子『岡本太郎――岡本敏子が語るはじめての太郎伝記』アートン、二〇〇六年
カイヨワ、ロジェ『遊びと人間』多田道太郎／塚崎幹夫訳（講談社学術文庫）、講談社、一九九〇年
亀山郁夫『ロシア・アヴァンギャルド』（岩波新書）、岩波書店、一九九六年
川崎市岡本太郎美術館編『万歳七唱 岡本太郎の鬼子たち』川崎市岡本太郎美術館、二〇〇〇年
神崎宣武『盛り場のフォークロア』河出書房新社、一九八七年
神崎宣武『盛り場の民俗史』（岩波新書）、岩波書店、一九九三年
祇園祭編纂委員会／祇園祭山鉾連合会編『祇園祭』筑摩書房、一九七六年
岸川雅範『江戸の祭礼』（角川選書）、KADOKAWA、二〇二〇年
木村重信『美術の始原』（「木村重信著作集」第一巻）、思文閣出版、一九九九年
木村重信『はじめにイメージありき』（「木村重信著作集」第二巻）、思文閣出版、二〇〇〇年
木村重信『世界を巡る美術探検』思文閣出版、二〇一二年

草薙奈津子『日本画の歴史 現代篇 カラー版――アヴァンギャルド、戦争画から21世紀の新潮流まで』（中公新書）、中央公論新社、二〇一八年
暮沢剛巳『現代美術のキーワード１００』（ちくま新書）、筑摩書房、二〇〇九年
国立歴史民俗博物館編『異界万華鏡――あの世・妖怪・占い』国立歴史民俗博物館、二〇〇一年
コロナ・ブックス編集部編『新版 日本の色』（コロナ・ブックス）、平凡社、二〇二一年
笹井祐子／藤原成一『「超」絵画ワークショップ――アートを生み出す基本思考』青弓社、二〇二一年
斎藤月岑、朝倉治彦校注『東都歳事記』全三巻（東洋文庫）、平凡社、一九七〇―七二年
榊原悟『日本絵画のあそび』（岩波新書）、岩波書店、一九九八年
佐々木健二郎『アメリカ絵画の本質』（文春新書）、文藝春秋、一九九八年
佐竹昭広『下剋上の文学』筑摩書房、一九六七年
施井泰平『新しいアートのかたち――ＮＦＴアートは何を変えるか』（平凡社新書）、平凡社、二〇二二年
鈴木棠三『ことば遊び』（中公新書）、中央公論社、一九七五年
須藤功『大絵馬集成――日本生活民俗図誌』上・下、法蔵館、一九九二年
スミス、Ｗ・ユージン／アイリーン・Ｍ・スミス『写真集水俣』中尾ハジメ訳、三一書房、一九八〇年
ソンタグ、スーザン『他者の苦痛へのまなざし』北條文緒訳、みすず書房、二〇〇三年
日本放送出版協会編『奄美を描いた画家田中一村展――奄美群島日本復帰50周年記念』（田中一村展カタログ）、奄美群島日本復帰50周年記念「奄美を描いた画家田中一村展」実行委員会、二〇〇四年
谷川渥『鏡と皮膚――芸術のミュトロギア』（ちくま文庫）、筑摩書房、二〇〇一年
辻惟雄『奇想の系譜』美術出版社、一九七〇年
鶴岡真弓『「装飾」の美術文明史――ヨーロッパ・ケルト、イスラームから日本へ』日本放送出版協会、二〇〇四年
鶴見俊輔『戦後日本の大衆文化史――１９４５～１９８０年』（同時代ライブラリー）、岩波書店、一九九一年
東京おもちゃ美術館編『日本伝承遊び事典』黎明書房、二〇一八年
東京芸術大学先端芸術表現科編『先端芸術宣言！』岩波書店、二〇〇三年
東京都現代美術館編『東京都現代美術館収蔵作品選１９９５』東京都現代美術館、一九九五年
東京都美術館／ＮＨＫ／ＮＨＫプロモーション編集『OKAMOTO TARO：A Retrospective――展覧会 岡本太郎』ＮＨＫ・ＮＨＫプロモーション、二〇二二年
「特集 超芸術家 赤瀬川原平の全宇宙」「芸術新潮」二〇一五年二月号、新潮社
「特集 ル・クレジオ 地上の夢」「現代詩手帖」二〇〇六年十月号、思潮社
所功『京都の三大祭』（角川選書）、角川書店、一九九六年

トドロフ、ツヴェタン『日常礼讃――フェルメールの時代のオランダ風俗画』塚本昌則訳、白水社、二〇〇二年
中井久夫「風景構成法と私」、山中康裕編『H・NAKAI 風景構成法』（「中井久夫著作集」別巻一）所収、岩崎学術出版社、一九八四年
中村良夫『風景学入門』（中公新書）、中央公論社、一九八二年
中村良夫『風景学・実践篇――風景を目ききする』（中公新書）、中央公論新社、二〇〇一年
南雲治嘉『色の新しい捉え方――現場で「使える」色彩論』（光文社新書）、光文社、二〇〇八年
日本民藝館監修、水尾比呂志／瀬底恒編集『沖縄の美』沖縄県立博物館／日本民藝館／沖縄タイムス／沖縄県立博物館友の会発行、一九八一年
日本民藝館編『柳宗悦蒐集 民藝大鑑』（「柳宗悦全集 図録篇」全五巻）、筑摩書房、一九八一―八三年
バージャー、ジョン『イメージ――視覚とメディア』伊藤俊治訳（ちくま学芸文庫）、筑摩書房、二〇一三年
長谷川祐子『「なぜ？」から始める現代アート』（NHK出版新書）、NHK出版、二〇一一年
原研哉『日本のデザイン――美意識がつくる未来』（岩波新書）、岩波書店、二〇一一年
ハリソン、J・E『古代芸術と祭式』佐々木理訳（筑摩叢書）、筑摩書房、一九六四年
比嘉政夫『沖縄の親族・信仰・祭祀』榕樹書林、二〇一〇年
美術手帖編集部編「特集 日本の現代美術三〇年」「美術手帖」一九七八年七月増刊号、美術出版社
美術手帖編集部編『現代美術――ウォーホル以後』美術出版社、一九九〇年
美術手帖編集部編『岡本太郎の世界』美術出版社、一九九二年
福永武彦『ゴーギャンの世界』新潮社、一九六一年
藤原成一『仏教ごっこ日本――もうひとつの精神誌』法蔵館、一九九一年
藤原成一『太郎冠者、まかりとおる』法蔵館、二〇〇三年
藤原成一『京都 癒しのまち』法蔵館、二〇〇六年
ベンヤミン、ヴァルター『パサージュ論』全五巻、今村仁司／三島憲一ほか訳（岩波現代文庫）、岩波書店、一九九三―九五年
ホイジンガ、ヨハン『ホモ・ルーデンス』高橋英夫訳（中公文庫）、中央公論社、一九九〇年
ベンヤミン、ヴァルター「シュルレアリスム」『暴力批判論 他十篇』野村修編訳（「ベンヤミンの仕事」1、岩波文庫）、岩波書店、一九九四年
ベンヤミン、ヴァルター「複製技術の時代における芸術作品」『ボードレール 他五篇』野村修編訳（「ベンヤミンの仕事」2、岩波文庫）、岩波書店、一九九四年
町田嘉章／浅野建二編『日本民謡集』（岩波文庫）、岩波書店、一九六〇年
松谷みよ子『現代の民話――あなたも語り手、わたしも語り手』（中公新書）、中央公論新社、二〇〇〇年
水尾比呂志『デザイナー誕生――近世日本の意匠家たち』（美術選書）、美術出版社、一九六二年
水尾比呂志『美の終焉』筑摩書房、一九六七年

水木しげる『ゲゲゲの鬼太郎』(「水木しげる妖怪まんが集」第四巻、ちくま文庫)、筑摩書房、一九八六年
水木しげる『カラー版 妖怪画談』(岩波新書)、岩波書店、一九九二年
宮下規久朗『ウォーホルの芸術――20世紀を映した鏡』(光文社新書)、光文社、二〇一〇年
宮田登『妖怪の民俗学――日本の見えない空間』(旅とトポスの精神史)、岩波書店、一九八五年
森村泰昌『踏みはずす美術史――私がモナ・リザになったわけ』(講談社現代新書)、講談社、一九九八年
柳宗玄『色彩との対話』岩波書店、二〇〇二年
柳宗悦『手仕事の日本』(「柳宗悦全集」第十一巻)、筑摩書房、一九八一年
柳宗悦、水尾比呂志編『新編 美の法門』(岩波文庫)、岩波書店、一九九五年
柳宗悦、日本民藝館監修『琉球の富』(ちくま学芸文庫)、筑摩書房、二〇二二年
柳宗悦『工芸の道』(「柳宗悦全集」第八巻)、筑摩書房、一九八〇年
柳宗悦『工藝文化』(「柳宗悦全集」第九巻)、筑摩書房、一九八〇年
柳宗悦『朝鮮とその芸術』(「柳宗悦全集」第六巻)、筑摩書房、一九八一年
柳宗悦『沖縄の伝統』(「柳宗悦全集」第十五巻)、筑摩書房、一九八一年
柳田國男「口承文芸史考」『定本 柳田國男集 第六巻』筑摩書房、一九六二年
柳田國男「昔話と文学」『定本 柳田國男集 第六巻』筑摩書房、一九六二年
柳田國男「笑の本願」『定本 柳田國男集 第七巻』筑摩書房、一九六二年
柳田國男「不幸なる芸術」『定本 柳田國男集 第七巻』筑摩書房、一九六二年
柳田國男「童話小考」『定本 柳田國男集 第八巻』筑摩書房、一九六二年
柳田國男「昔話を愛する人に」『定本 柳田國男集 第八巻』筑摩書房、一九六二年
柳田國男「昔話のこと」『定本 柳田國男集 第八巻』筑摩書房、一九六二年
柳田國男「日本の祭」『定本 柳田國男集 第十巻』筑摩書房、一九六二年
柳田國男「なぞとことわざ」『定本 柳田國男集 第二十一巻』筑摩書房、一九六二年
柳田國男「妖怪談義」『定本 柳田國男集 第四巻』筑摩書房、一九六三年
柳田國男「祭日考」『定本 柳田國男集 第十一巻』筑摩書房、一九六三年
柳田國男「氏神と氏子」『定本 柳田國男集 第十一巻』筑摩書房、一九六三年
柳田國男『遠野物語 山の人生』(岩波文庫)、岩波書店、一九七六年
吉岡幸雄『日本の色を染める』(岩波新書)、岩波書店、二〇〇二年
与田準一編『日本童謡集』(岩波文庫)、岩波書店、一九六七年

米山俊直『都市と祭りの人類学』河出書房新社、一九八六年
米山俊直編著『ドキュメント祇園祭――都市と祭と民衆と』（NHKブックス）、日本放送出版協会、一九八六年
リア、エドワード『完訳 ナンセンスの絵本』柳瀬尚紀訳（岩波文庫）、岩波書店、二〇〇三年
リヒター、ゲルハルト『ゲルハルト・リヒター写真論／絵画論』清水穣訳、淡交社、一九九六年
ル・クレジオ『もうひとつの場所』中地義和訳、新潮社、一九九六年
ローズ、バーバラ『二十世紀アメリカ美術』桑原住雄訳、美術出版社、一九七〇年
若月紫蘭著、朝倉治彦校注『東京年中行事』全二巻（東洋文庫）、平凡社、一九六八年
鷲田清一『モードの迷宮』（ちくま学芸文庫）、筑摩書房、一九九六年

［追記］

アートを考え・学び・創作する基本は多くの先行作品・制作物に接することである。『原色日本の美術』（全三十二巻、小学館）、『原色現代日本の美術』（全十八巻、小学館）、『日本美術全集』（全二十四巻、講談社）『世界美術大全集』（全二十八巻・別巻一、小学館）などの網羅的作品集から水墨画・山水画などの特殊化したシリーズや作家別の作品集も多い。また版画では、パリ国立図書館監修でその所蔵作品を集成したパリ国立図書館監修『世界版画大系』（全十巻、筑摩書房、一九七二―七四年）、奈良国立博物館監修『日本古版画集成』（筑摩書房、一九八四年）も新発見が多く楽しい。展覧会場で原作にふれ、さらに画集による複製から学ぶように努めたい。

ほかにフォークロア関係書は膨大だが、専門とするのではないため割愛する。なお、国史大辞典編集委員会編『国史大辞典』（全十五巻、吉川弘文館、一九七九―九七年）、福田アジオ／神田より子／新谷尚紀／中込睦子／湯川洋司／渡邊欣雄編『日本民俗大辞典』（上・下、吉川弘文館、一九九九―二〇〇〇年）の親切な解説は便利である。

おわりに——アート表現の〈先端〉へ

「太陽を描こう、造形しよう」。この呼びかけのワークショップでは、はじめは参加者にとまどいがありました。大空に輝く太陽、フィンセント・ゴッホの太陽、自分の内部にある太陽、生命を生み育てもし責めもする太陽です、と挑発すると、みんなの顔が熱気を帯び始め、制作室が個々の太陽に輝いていきました。自分の積極的な発散、表現です。

この世界には植物園や水族館など、園や館という施設があります。新しい園や館も創設して、植物園、動物園、人間園の三園、水族館、空族館、異類館の三館、合わせて六つをみんなで共同制作しよう、みんなの作品に、パブロ・ピカソやアンリ・ルソー、田中一村や水木しげるの作品も取り入れて、コラージュによる大壁画、屏風絵へとエスカレートしよう、と誘いかけました。次々と出されるアイデアと既成の名作が対話し反発しもするにぎやかな大作が、元気がいい笑い声のなかに出現してきました。自作にほかの作品を組み合わせることで、自作の意味も変わり、自分も変わります。私を表現しながらも集合するコラボレーションの表現力に気づいていきます。参加者と既成作による合作からは、互いに活気づけ合う力、共同体の協働知、フォーク力が湧き立ってきます。協働ワークショップは現在のフォークロア、フォークアートの一つの試みでした。自分をもちながら自分から離れ、みんなと場を共有する対話やみんなの多様性によって、制作室に若々しい活気がみなぎってきます。

こんな考えの人もいる、こんな作品もあるのだ、という発見、狭いアート観や型にはまりがちなアート制作の見直しなど、いろいろな気づきを参加者は経験します。そして気づきは背景にある政治・社会状況や文化状況、情報機構などにも向けられます。現在の日本はあらゆる面で中央志向、一極集中体制です。一極集中体制は、人や文化、情報などの管理・操作には合理的で効率的ですが、実態をみるとき、文化も情報も中央志向に色づけされ、画一的になりがちで、危険な体制です。いま求められているのは一極でなく多極です。集中でなく分散です。中央志向でなく地域志向です。そこでは画一的でない多様性が成長してきます。フォークロアの先駆者も中央でなく地域に目を向け、一極に集中する中央にない地域固有の表現を発見し発掘しました。地域に分散して営まれる文化や表現の個性であり魅力です。一極集中から多極分散へ、その変容を支えるのがローカルカラー、フォーク力です。

生物の多様性の重要さが強調されています。同様に重要なのが文化の多様性、表現の多様性です。なじんでしまった中央一極の人為的表現、一般向けの通俗的文化から身を引き、その汚染を洗い流し、それぞれの立脚点を見つけ、その場所や状況に根ざした表現の独自性に気づき、場所や地域、状況がもつ活力を、多様なままに表現すれば、画一性を乗り越える新しいフォークロアが生まれ、多様なローカルアート、フォークアートが生成してくるでしょう。ローカルな多極性のうえに、表現者の多様性、フォークの多様性による表現の革新です。

日本は江戸初期の百八十五藩から幕末期の二百八十三藩まで多くの藩に分かれていました。藩は徳川幕府に管理・操作され搾取されながら自立も要求されました。そのため藩の特産物をつくり、祭りや芸能で盛り上げ、自活を模索しつづけました。特産物や芸能の多くは現在も大切に守り育てられています。これらは地域が誇るローカル表現であり、分散体制での表現の多様性の表れで、こんな工芸品が、こんな祭りが、こんな絵が、と驚きで見られ、それを生み出した場所が見直されます。多極分散の成果であり、人々が交流するフォーク力によるものでした。そういう創作を生成するベースには風土への愛、協働する人たち互いの信頼があり、人々の付き合いのベースには健全なフォーク力、あそびがあり、他をあそばせる思いやりがあり、それらを演出するあそびごころがありました。必要なのは、現代日本を動かしてきた成長や発展志向でなく、互いの信頼であり、互いの変革であり、それに基づくゆとりある成熟志向です。自分にとらわれないゆとりをつくるのがあそびごころです。

フォークロアもフォークアートもあそびごころが生み、育ててきました。共同体の協働的フォークロアもフォークアートの持ち味もあそびごころによるものです。あそびごころは穏やかに見えて自他を変革する原エネルギーです。自分を表現し主張するパーソナルアートから共同体で練られた共同主観に基づくソーシャルアートへ、中央一極がいうパブリックでない親しめる共同体精神によるソーシャルアート、パブリックアートへと、自作を、みんなとの合作を、進めていきましょう。

＊

本書ができるまでには多くの方々の協力を得ました。関貴子さんには資料調査や作品整理など重要な作業をお願いしました。ワークショップへの参加は日本大学芸術学部美術学科絵画コース版画専攻の学生・院生・ＯＢなど次の方々です（五十音順）。青島夏希、青柳有華、天野由結、石川珠衣、石塚万里奈、稲田怜将、大久保灯、奥瀬楓乃音、カクシュンゴウ、亀浜美優、鴨嶋優樹、河村乙、菊池史子、キムサラ、木村瞳、工藤優真、小林恭子、小林幹太、小松佳織、齊藤詩織、佐伯あかり、冨倉みのり、永田士朗、西山佳凜、羽ヶ崎香穂、長谷川未紅、東尾文華、日比野絵美、保坂裕希、堀江陽香、正木雄悟、松野愛美莉、鎗田えみ、柳澤彩葉、山﨑りん、四本紗桜里さんです。みなさん、力作、異色作、ありがとうございました。

これを機に、本書とともにフォークアートを大いに吹聴してください。

出版に際しては青弓社の矢野恵二氏のご配慮に感謝いたします。また編集部の方々、校正の方から多くのご指示と注文をいただきました。十分に生かすことはできませんでしたが、あらためてお礼を申し上げます。

二〇二四年四月

笹井祐子／藤原成一

［著者略歴］
笹井祐子（ささい ゆうこ）
1966年、東京都生まれ
日本大学芸術学部卒業
日本大学芸術学部美術学科教授、版画学会会員
絵画と版画制作
共著に『「超」絵画ワークショップ』（青弓社）
展覧会に「国際交流女性現代美術展「アートの断面」」BankART Studio NYK（横浜市）、「笹井祐子展 赤の声・青の音」星と森の詩美術館（十日町市）、「現代版画の潮流展」町田市立国際版画美術館（町田市）、「一期一会」メキシコ自治大学チョッポ美術館（メキシコ市）、「現代日本美術の動勢 版／写すこと／の試み」富山県立近代美術館（富山市）など。近年はメキシコ美術と交流しながら制作と研究を進行中

藤原成一（ふじわら しげかず）
1937年、兵庫県生まれ
東京大学文学部卒業
元日本大学芸術学部教授、生存科学研究所常務理事
専攻は表象文化研究、コミュニケーション論、日本文化研究
著書に『生きかたの美学』『富士山コスモロジー』『幽霊お岩』（いずれも青弓社）、『日本文化を読みかえる』（ベストブック）、『「よりよい生存」ウェルビーイング学入門』（日本評論社）、『京都癒しのまち』『癒しのイエ』『弁慶』『癒しの日本文化誌』『風流の思想』（いずれも法蔵館）、共著に『「超」絵画ワークショップ』『「超」写真表現力』（ともに青弓社）、『50冊で学ぶ写真表現入門』（日本カメラ社）など多数

フォークアート新生《しんせい》！　芸術の〈原点〉から〈先端〉へ

発行―――2024年5月27日　第1刷
定価―――2400円＋税
著者―――笹井祐子／藤原成一
発行者――矢野未知生
発行所――株式会社青弓社
〒162-0801 東京都新宿区山吹町337
電話 03-3268-0381（代）
http://www.seikyusha.co.jp
印刷所――三松堂
製本所――三松堂

ISBN978-4-7872-7464-9　C0070